DU MÊME AUTEUR

L'Agrandissement, Castor Astral, 1983.
L'Explication, Lèvres Urbaines, 1983.
L'Extase neutre, NBJ, 1985.
Mélancolie, NBJ, 1985.
Les Changeurs de signes, NBJ, 1987.
Les Mémoires artificielles, Écrits des Forges, 1987.
Faire mention, Lèvres Urbaines, 1987.
Fontainebleau, Les Herbes Rouges, 1987.

MICHAEL DELISLE

Drame privé

roman

LES HERBES ROUGES

Éditions LES HERBES ROUGES
900, rue Ontario est
Montréal, Québec H2L 1P4
Téléphone: (514) 525-2811

Maquette de couverture: Claude Lafrance
Illustration de couverture: Richard-Max Tremblay,
Tête, acrylique sur toile, 44 × 34 cm, 1988
Photo de l'auteur: Jacques Perron

Photocomposition: Les Ateliers C.M. inc.

Distribution: Diffusion Dimédia jnc.
539, boulevard Lebeau
Saint-Laurent, Québec H4N 1S2
Téléphone: (514) 336-3941; télex: 05-827543

Distique
17, rue Hoche, 92240 Malakoff, France
Téléphone: 46.55.42.14

Dépôt légal: deuxième trimestre 1989
Bibliothèque nationale du Québec
Bibliothèque nationale du Canada

1

Le cœur d'une phrase

Foudre impossible. Ville poudreuse. Neige. Mousse. Qui sait d'où viennent certains mots. Certaines phrases. Elles émergent devant les tableaux. Il arrive que leur lien aux choses soit obscur. On croit la tournure insensée. Déraisonnable comme un attachement aux objets.

Foudre impossible. La journée est trop bleue. En respirant vivement, on peut happer un flocon au vol, par les narines. Chatouillement. Sourire seul. Des passants retournent le geste. Les gratte-ciel en miroir donnent une majesté à la doublure. De Montréal. De l'hiver.

Quand Anne marche ainsi, le manteau ouvert, chaque pas en ouvre les pans sur son tailleur chiné. Et ses genoux paraissent. Elle sourit. Je l'embrasse.

— Comment ça s'est passé? me demande-t-elle.

Je lui apprends qu'il reste plus de mille huit cents documents à classer avant le microfichage et que c'est moi qui ai hérité du classement. J'ai accepté à condition de pouvoir le faire seul, ce qui augmente considérablement l'espérance de vie de mon contrat. J'ai du travail jusqu'au printemps. Anne dit qu'elle est contente pour moi. C'est un travail simple, répétitif; je peux le faire en pensant à autre chose.

— C'est ça qui compte, dit-elle.

Au restaurant, elle me parle de cet emploi qu'elle a présentement où elle restera probablement encore quatre mois.

C'est beaucoup pour une pige de secrétariat. Avec ce contrat-là, elle compte s'offrir un tailleur Courrèges.

Une serveuse échappe un plateau de verres nets. Des clients se retournent. Le patron l'engueule pendant qu'elle balaie le dégât.

Je demande à Anne si elle n'a pas déjà un tailleur Courrèges. Elle suspend sa bouchée de canard au poivre pour émettre un «hanhan» négatif. Que dirait-elle si je m'achetais une cravate à chaque job que je fais? Elle fronce les sourcils, y pense.

— Anne, c'était pour rire...

Elle ne veut pas voir l'humour. Elle parle vite. Elle mange vite. Elle me parle de l'intérêt de réifier les événements. Puis elle me regarde et dit que moi, spécialement moi, je devrais comprendre ça. Sa remarque crée un léger malaise. Elle s'en excuse aussitôt. J'allonge une jambe sous la table pour la rejoindre.

Elle me demande de lui rappeler de donner un gros pourboire à la serveuse et enchaîne tout de suite sur la nouvelle pièce d'Ali Blanchart; nous avons des billets pour la première, ce soir, compliments de l'actrice elle-même. Anne ne se souvient plus du nom de la pièce; elle grimace et dit que c'est mauvais signe. Je crois qu'il y a le mot «docteur» dans le titre, mais ça n'aide en rien. Rien à faire, nous ne savons pas.

— Je suis contente que ça marche pour elle, dit Anne.
— Moi aussi.
— J'ai promis qu'on irait la saluer après.
— Ah bon.

☐

— Je marche dans le réfectoire de l'orphelinat. Derrière la table de service se tient une armée de religieuses. Sœur Dionne est du groupe. Je lui présente une tête humaine bien dépiautée. Elle est lourde. On ne voit que des tendons blancs comme du gras de steak et de la chair rose qui ressemble à un râble de lapin cru, oui c'est ça, du lapin. Je tends cette tête à sœur Dionne et lui dit: «Aujourd'hui, je vais manger le cœur.» Sœur Dionne plonge une main hardie dans la tête humaine et en extirpe un cœur bien juteux. Elle pose délicatement l'organe au centre d'une assiette bleu pâle. Je lui rends grâce. Elle me fait un clin d'œil complice en léchant ses doigts rouges et collants. Au moment où mes dents se plantent dans le muscle saignant, une main se pose sur mon épaule. C'est une main forte. Cette main est une main qui somme. Je me retourne et vois sœur Trépanier, la naine. Elle dit: «Non!» C'est étrange, elle a la voix de mon père...

— Non!

La réponse est claire. Ali Blanchart l'a lancée avec fermeté au visage de son partenaire. La syllabe ricoche sur la salle et réveille Anne en sursaut. Elle somnolait. Je lui demande tout bas si elle est fatiguée. Elle sourit. La pièce exige un effort d'attention constant et la tentation de fantasmer «hors texte» est immense. Ali tient le rôle de la psychiatre. Presque toutes ses scènes sont, injustement, à l'ombre. Je regarde Luc Perluzzo qui joue un de ses patients. Il est, lui, plus souvent éclairé. Je regarde son profil, sa façon de bouger le bras, ses jambes alertes. Il a les cheveux très noirs et le teint pâle. Le rapport est étrange, tranchant. Je l'avais déjà vu jouer. À quelques reprises, j'ai trouvé sa façon d'être, là en public, enviable. Je me verrais bien quitter mon siège, descendre l'allée, monter sur scène, lui prendre la main et lui dire: «Ça suffit, on s'en va.» Avec douceur et effronterie. Anne me demande si ça va me tenter de manger chinois. Je fais signe que je ne sais pas. On nous fait «Tchh!» dans le dos. Elle me demande si on sort tout de suite. Je lui rappelle qu'on a promis d'aller voir Ali dans les loges. Nous attendons la fin en bâillant.

□

Il y a trop de monde dans les loges. Nous devons attendre en ligne. Anne me dit qu'elle n'aime pas s'endormir au théâtre, de peur que le texte s'engramme directement dans son inconscient. Elle me demande de lui raconter le bout qu'elle a manqué. Comme ça, si elle y rêve, elle pourra en reconnaître l'origine. Je lui dis que justement, c'est un récit de rêve qu'elle a raté. Une histoire de bonnes sœurs, rien d'alarmant. Elle me demande si le restaurant Jano me tente pour plus tard, leur lapin est toujours bon.

La file se dégage. Luc Perluzzo, fraîchement démaquillé, tient Ali par la taille le temps d'une photo. Rapidement, Anne me demande de lui suggérer quelque chose à dire au comédien. Elle a raté trop de scènes. Elle ne sait vraiment pas quoi dire et elle sent qu'il va lui demander son avis.

— Dis-lui: «On sent vraiment que tu as mérité le droit de dire ce texte-là.» Ça ne rate jamais. Oublie pas de faire une pause après «vraiment».

Ali crie le nom d'Anne comme celui d'une célébrité. Elle nous embrasse avec effusion. Nous lui disons qu'elle était belle, bonne et très, très présente. Luc Perluzzo s'est approché de nous. Ali fait les présentations. Dans la vie de tous les jours, Luc Perluzzo est exactement de ma taille. Je l'avais cru plus grand. Sa voix est saisissante quand il la force.

— Vous avez aimé ça? nous ordonne-t-il.

— Oui oui, lui dis-je, c'était euh... comment tu disais ça tantôt, Anne?

Anne, parfaite lève un sourcil et dit: «On sentait vraiment que, comment dire, tu as mérité le droit de dire ce texte-là. J'sais pas si tu comprends...»

L'effet est total. L'acteur reste bouche bée. Ali rompt le silence en claironnant que tout le monde — elle pointe Anne du doigt en disant ça — se retrouve chez le Grec dans une demi-heure. Anne proteste doucement, dit qu'elle travaille tôt demain, qu'elle ne peut pas veiller si tard. Ali, puérilement, lui dit que ce soir c'est «son» soir, qu'elle veut Anne à ses côtés. Elle ne veut rien entendre. Elle rentre se changer. Anne prend mon bras et me dit: «Elle est pas parlable, fais quelque chose.» Je lui souris. Elle me le rend ironiquement. Par l'entrebâillement de la porte de sa loge on aperçoit Perluzzo. Il se tient le visage à deux mains, devant son miroir. Il est pensif. Presque sombre.

□

Au restaurant grec, quand le serveur demande: «Spanakopita?», six personnes répondent: «Moi!» en même temps et toute la tablée s'esclaffe. Je me penche contre Anne et lui glisse: «Tu vois bien qu'on s'amuse.» Elle me pince prestement le côté.

— Maintenant ça va mieux, me dit-elle, mais tantôt dans les loges, j'étouffais, j'étais pas tout à fait réveillée.

Pendant qu'Ali explique à qui veut bien l'écouter, ce qu'elle entend, personnellement, par «distanciation», Luc Perluzzo fait ce qu'il semble sur le point de faire depuis que nous sommes entrés: il demande à Anne si elle pensait à une scène en particulier quand elle lui a dit ça. Anne fait semblant de chercher puis dit que c'était une impression «générale». Il la relance, lui demande à quels signes elle pouvait déceler cela. Elle me regarde furtivement. Elle a besoin d'aide. J'interviens. Je demande à Luc quelle différence éthique il voit entre un geste et les signes de ce même geste. Anne me regarde avec un grand merci dans les yeux. Luc promet d'y réfléchir. Ali, pompette, se lève et annonce à tout le monde qu'elle va nous chanter une chanson. Nous applaudissons. Luc ne réagit pas. Il joue avec sa fourchette, visiblement absorbé par ma question. Cet homme-là m'inquiète.

On entend la voix amplifiée d'Anne qui dit: «Désolés! On ne peut pas vous répondre présentement. Si vous désirez qu'on vous rappelle, laissez-nous votre nom, votre numéro de téléphone et l'heure de votre appel après le signal sonore. Merci!»

Immédiatement après le signal sonore, on entend la voix d'Ali qui crie: «Anne! C'est moi!» Anne court répondre. Nous sommes invités chez Luc demain soir. Il fait un gros party. D'après Ali, il faut absolument qu'Anne et moi soyons présents sinon Luc va en faire une maladie. Il passe son temps à parler de la responsabilité de l'acteur qui doit mériter le droit de défendre son texte, et de nous. Il parle de nous aussi. À partir de là, notre répondeur cesse de diffuser la conversation dans toute la maison et je n'entends plus qu'Anne expliquer à Ali qu'elle a tout le linge qu'il lui faut, que si elle passe son temps en tailleur c'est parce que ça lui plaît ainsi. Elle rassure Ali; elle n'a pas besoin qu'on lui passe des vêtements. Elle la remercie en riant. Elle me regarde en disant à Ali que c'est avec plaisir que nous serons au party de Luc, demain.

☐

Lise Barbeau-Tavarès, la secrétaire de monsieur Khoury, prend la peine de venir me porter elle-même la gerbe qu'on a livrée à mon nom. Ce sont trois roses thé augmentées de fougères et de mimosa.

La secrétaire me les tend avec un sourire narquois. Elle s'assoit sur le coin de ma table de travail, croise les jambes et balance le pied. Elle dit qu'elle vient me faire un brin de jasette. Pour prendre des nouvelles. Elle dit ça avec un sourire large et rouge.

— Laisse ton classement deux secondes, ça peut attendre. Ouvre donc la petite enveloppe que je puisse dire à tout le monde de qui ça vient ces belles fleurs-là.

Je fais mine de regarder la carte et l'informe aussitôt qu'elles viennent de son patron. Je lui dis également de ne pas oublier de fermer la porte en sortant.

Les fleurs — surprise — sont de Luc Perluzzo. Sur la carte: «Vie changée. Merci de m'avoir ouvert les yeux.» C'est aimable. Mais le geste est bien grand pour une remarque que, du reste, j'aurais du mal à répéter.

Anne me téléphone peu de temps après. Elle dit que je ne devinerai jamais ce qu'elle vient de recevoir. Je devine juste et lui demande ce que ces gentillesses signifient selon elle. D'après elle, c'est un geste d'acteur. Les acteurs sont comme ça. Ces exubérances sont normales et courantes chez eux. Ces gens-là envoient des communiqués de presse pour dire que tout va bien. Elle n'est pas inquiète mais elle ne sait pas pour autant comment réagir à ça. Que lui raconterons-nous, par exemple, quand nous le verrons ce soir?

☐

L'appartement de Luc est un grand cinq-pièces sur Mont-Royal. Il y a sûrement plus de soixante invités. Anne se faufile jusqu'à moi avec deux précieux Perrier extraits de l'unique bouteille dans la cuisine. Nous les sirotons lentement: nos lèvres ne font que de petits mouillages économes. Anne me demande si je connais quelqu'un ici. Je lui retourne: «À part les gens connus?» Il n'y a qu'elle pour apprécier ce genre d'humour. Je balaie la foule du regard. Je ne vois aucune connaissance. Sauf Ali, bien sûr.

Un frisson me parcourt l'échine. Je vois qu'Anne aussi a un geste d'inconfort. Je sens le souffle de quelqu'un derrière nous. Il est là depuis longtemps. Anne sursaute. Luc lui plaque un baiser bruyant dans le cou. Il m'embrasse, déclare qu'il est heureux de nous voir, qu'il a beaucoup pensé à nous. Nous le remercions pour les fleurs. Il dit qu'il a eu nos adresses de travail par Ali. Je lui dis que c'est beau chez lui. Anne trouve que le party a l'air réussi. Il nous répond qu'il est heureux, vraiment heureux que nous soyons ici avec lui. Il n'a pas écouté ce que nous lui avons dit. Il regarde Anne avec intensité.

— Vous avez changé ma vie, le savez-vous? nous dit-il.

Anne reste interdite comme si, absurdement, elle hésitait entre deux formules de politesse. Je dis à Luc qu'il a vraiment beaucoup d'amis. Il regarde nos eaux minérales, presque insulté. Il nous les ôte des mains, un peu durement. Il proclame de sa voix saisissante que nous allons boire du scotch. Il va à la cuisine avec nos verres qu'il déverse au passage dans le terreau d'une plante. Je lis sur les lèvres d'Anne qui articule: «Il est saoul.» Luc revient et, avec la même gentillesse, nous met un scotch dans les mains. Il nous dit: «Je vous aime.» Nous ne le revoyons pas de la soirée. Le scotch est âcre dans nos bouches.

☐

Le printemps est déjà suffisamment installé dans l'air pour qu'on puisse cuisiner la fenêtre ouverte. Je masse délicatement un faisan malodorant avec des écorces d'orange, sans quitter les instructions des yeux. Pendant ce temps, Anne donne la réplique à Luc pour une dramatique qu'il prépare. Ils viennent d'aborder un passage difficile où Luc doit éclater de rire au signal d'une remarque d'Anne. Je crois comprendre que le problème réside dans le fait que Luc ne trouve pas la remarque drôle. La question qu'ils débattent est celle-ci: comment Luc peut-il mériter le droit de rire quand il ne trouve pas cela drôle. De mon côté, j'entreprends la confection de la garniture du «faisan aux deux noix» et je commence à me demander si cette recette, que m'a aimablement prêtée Lise Barbeau-Tavarès, n'est pas, justement, une farce.

C'est Anne qui rit maintenant. Elle essaie de montrer à Luc une façon de rire sans que cela n'engendre un sentiment d'inauthenticité. Il essaie le rire. Anne le fait en même temps que lui. On dirait deux enfants désœuvrés, un dimanche de pluie. J'abandonne le faisan une seconde, le temps de les inviter à venir écaler les noix de Grenoble. Je trouve qu'ils travaillent trop.

□

Luc et moi attendons dans la fraîcheur du soir que les portes de la galerie ouvrent. Nous allons voir *Au secours!* de Paul Bédard. Je suis toujours surpris de constater que Luc et moi avons la même taille. Il sourit et me serre les épaules comme font les frères italiens dans les films. Il me demande si je connais ce Paul Bédard. Je connais le travail de Paul depuis longtemps. Anne a fait son bac en histoire de l'art avec lui. Il faisait déjà des performances à l'époque. Des trucs toujours très conceptuels. Ses œuvres s'articulent généralement sur la pragmatique de la représentation. Je dis à Luc qu'en ce sens ça devrait l'intéresser.

Il m'interrompt, m'avouant, avec sérieux, qu'aujourd'hui il a mérité le droit de jouer «tout» Michel Tremblay. La révélation reste là. Il ne dit rien d'autre. Qu'est-ce que je dois imaginer maintenant?... Un jour, je lui expliquerai en détail pourquoi cette façon de parler qui «tend la main sans offrir» m'exaspère au dernier degré.

La file avance. Nous entrons finalement. La salle est grande mais il y a peu de chaises. Je murmure à Luc qu'un détail comme ça est important dans ce genre de spectacle. Il dit: «Oui oui, je sais.»

Au premier geste de la performance de Paul Bédard, je me souviens, à mon grand désespoir, de l'avoir déjà vue, il y a deux ans. Il entre sur «scène», s'assoit sur une chaise et ne bouge pas, ne dit rien, respire à peine pendant quarante-cinq minutes. Après ce temps, il se lève et sort.

À la fin de la représentation, Luc est simplement hors de lui. Il trouve cette exhibition inadmissible. Je me trouve, bien malgré moi, défendant Paul Bédard contre les clichés antimodernes habituels. Luc dit que n'importe qui peut en faire autant, que ça ne signifie rien, que c'est rire du monde. Je lui concède que c'était un peu long.

Le temps d'arriver au café, il se calme. Devant son verre de rouge, il m'avoue qu'il trouve que cette responsabilité nouvelle face à l'interprétation commence à lui peser. Pour lui, c'est une boîte de Pandore. Il comprend qu'Ali réduise toute sa démarche à se distancier des œuvres. C'est une façon de se protéger. Il trouve cela invivable d'avoir à se demander constamment s'il a ou non le droit moral de poser des gestes qu'il doit poser de toute façon pour gagner sa vie. Il se rappelle déjà avec nostalgie ses débuts. Il pense à l'insouciance et au plaisir avec lesquels il jouait ses premiers personnages. Ce qui le trouble profondément aussi, c'est qu'il ne voit pas d'amélioration dans son jeu depuis qu'il essaie de jouer de façon «responsable».

J'essaie de me souvenir de la phrase qui a déclenché tout ça. Ça ne me revient pas.

Luc se lève abruptement. Il met de l'argent sur la table. Il doit partir tout de suite, il a — il cherche ses mots — un rendez-vous. Il ment. Je le sais. Il le sait. Il sort.

□

C'est l'heure creuse au café, dans l'après-midi. J'y attends Anne, que je viens de laisser à la clinique d'à côté. Je sais qu'elle me reviendra saine, dispose et calmée de ses radios pulmonaires annuelles. C'est alors que survient Luc. Je me demande toujours dans un cas pareil, si c'est vraiment le hasard qui fait ces rencontres ou s'il n'y a pas derrière tout ça une concertation de niveaux de conscience qui nous échappent. Il se dirige vers moi, resplendissant. Il me dit qu'il est heureux de me voir. Je l'invite à s'asseoir. Il commande un verre de rouge et me demande, sans plus attendre, comme s'il avait fait tout ce chemin pour venir me poser cette question, pourquoi Anne et moi ne buvons jamais. Je fais mine de ne pas comprendre pour qu'il précise sa question. Il prétend que nous buvons toujours du café, du thé ou des eaux minérales mais jamais d'alcool. Je lui dis que c'est faux. Hier justement, nous avons joyeusement calé un Passetoutgrain bien charpenté. Luc — curieuse réaction — s'en réjouit. Je lui demande où il va chercher des questions pareilles. Il m'avoue, un peu gêné, qu'il croyait que nous étions des personnes «pas végétariennes mais… genre», à cause d'un air de santé que nous affichons. À cause, aussi, de notre air réservé. Moi et mes chemises toujours propres, mes vestons toujours pressés, Anne avec ses uniformes («tailleurs» corrigé-je). Je lui demande: «Qu'est-ce que ça peut bien faire?» Il finit par avouer qu'il trouverait ça dommage pour nous que «certaines expériences essentielles de la vie nous échappent». Peut-être est-ce dû au contexte, mais je comprends tout à fait ce qu'il me dit. Sa sollicitude me touche beaucoup. Je le lui signifie par un sourire. Je lui dis de ne pas s'en faire ainsi pour nous. Je lui dis également qu'il réfléchit trop. Il n'y a qu'à lui que je puisse dire ça.

Anne se joint à nous. Son air est correct; il ne révèle rien. J'ai beau lui demander: «Comment ça va?», elle a beau me répondre: «Très bien», aucune information ne passe. Elle ôte son veston, commande un demi de blanc. Luc me regarde, satisfait. Je lui rends un clin d'œil complice.

□

Il y a grande affluence au rayon des appareils électroménagers. Je retourne sur mes pas à la recherche d'Anne que j'ai perdue en chemin. Je la retrouve enfin, médusée par tout un mur de téléviseurs de formats divers qui passent une entrevue que Luc accorde à un talk-show. Elle me dit de venir voir. Elle veut qu'on devine ensemble ce qu'il peut bien raconter. Il n'y a pas le son; on ne reçoit qu'une cacophonie de radios derrière nous. Je dis que Luc doit annoncer la reprise de sa pièce avec Ali. Anne dit qu'il parle probablement du droit et du mérite dans le processus de création de l'acteur. Les cheveux de Luc sont très noirs. Anne croit que c'est le maquillage de la pièce qui crée cette impression-là. Luc parle en s'animant beaucoup. Son discours a l'air sérieux. Très sérieux. Trop pour cette émission, à en juger par l'air ennuyé des invités assis aux fauteuils voisins. Une belle rousse crêpée — Anne dit que c'est elle qui chante *Je suis crue/elle* — fait une remarque à brûle-pourpoint. Elle semble avoir coupé Luc au cœur d'une phrase. L'animateur éclate de rire. Luc se retranche aussitôt. Je demande à Anne si des choses comme l'humiliation peuvent passer à l'écran. Elle dit qu'on ne peut pas savoir sans le son. Je dis qu'on n'a qu'à lui demander de nous refaire son laïus quand on le verra chez Ali. Anne me conseille d'attendre que Luc aborde lui-même le sujet, et de laisser tomber s'il ne le fait pas. L'animateur lève les bras. Il s'adresse à la caméra. Générique.

□

Ali fait de gentilles remontrances à Luc, qui n'a rien touché de son dindonneau. Elle lui dit que ce n'est pas avec de la coke qu'on se fait des muscles. Il lui fait savoir que s'il veut parler à sa mère, il n'a qu'à lui téléphoner. Elle soupire en le débarrassant de son assiette. Il cherche une seconde à rattraper l'idée qu'il ressassait quand Ali l'a ramené sur terre. Il regarde Anne et lui demande quel auteur a parlé des comédiens comme n'étant rien de plus que des «machines à sueur». Anne ne voit pas. Elle avoue n'être pas très calée en théorie du théâtre.

— Ah c'est vrai, dit-il, vous connaissez rien là-d'dans.

La fin de sa phrase est molle. Après un silence lourd, Ali dit qu'elle va servir le café au salon.

En changeant de pièce, elle dit à Anne qu'elle a revu madame Saint-Jean, l'ancienne propriétaire des Tornades. Cette madame Saint-Jean a eu la gentillesse de venir saluer Ali après une représentation. Il paraît que madame Saint-Jean a beaucoup engraissé. N'en pouvant plus, je finis par demander ce qu'est, dans le contexte actuel, une tornade. Ali se lève promptement et dit qu'elle va aller chercher ses photos. Anne proteste, m'explique que je suis sur le point de découvrir une période de son passé qu'elle m'a toujours cachée. Ali revient avec un carton qu'elle cache contre elle.

— C'est une photo de groupe. Il faut que tu devines où nous sommes, me dit-elle en me tendant la photo d'un régiment de majorettes.

— C'est ça des Tornades?

— Non, me répond Anne, ça c'est des Cavalières.

Les deux ex-cl*aironnistes gonflent leurs joues, s'emportent dans une interprétation de *California dreamin'*.

Je ris, tourne brièvement la tête vers Luc pour voir s'il goûte ce genre d'humour. Il regarde ailleurs. Peut-être dans son enfance, lui aussi. Il a les épaules tombantes, les pupilles fines. Je connais cet œil. Il rumine une vieille idée, ça ou il est sur le point de faire quelque chose. Il est sur le point de le faire avec la même énergie, la même pulsion qu'il avait déployée, enfant, quand il avait levé le chaton de terre en le saisissant par la queue, l'avait fait tournoyer dans l'air et l'avait balancé de toutes ses forces contre l'arbre. Le corps avait fait un bruit sourd. Il avait rattrapé l'animal souffrant par la peau du cou, l'avait consolé, avait pleuré avec lui. Rien n'avait été épargné pour l'ivresse d'être ému. C'est une scène du genre qui lui traverse l'esprit en ce moment. Ces choses-là se sentent. De mauvais souvenirs transpirent de son visage, perlent sur son front. Il me regarde. J'ai un peu froid. On dirait que ses pupilles ont disparu.

Ali décrit, avec une gestuelle bien à propos, le costume des Étoiles filantes de Verdun. Anne est rouge de rire. Elle tombe de son fauteuil en tapant sur le plancher, ses rires sont des cris.

Luc, hébété, me regarde à présent. Je lui demande: «Luc, te sens-tu bien?» Le ton calme de ma question alerte les filles, qui n'avaient pas prêté attention à son état. Anne dit tout bas: «Je connais ce look-là, c'est le down de coke qui fait ça.» Ali rétorque: «Ben non, c'est la boisson!» Je demande à Ali de faire d'autre café. Luc intervient finalement, avec calme: «Non, pas de café. Ça va aller.»

Ali annonce qu'elle va à l'instant nous présenter un extrait, un court extrait, du genre de chorégraphie qui a fait la réputation, le trademark des Tornades de Lachine. C'est un louable effort d'hôtesse. Elle s'exécute mais le malaise est trop grand. Luc ne suit pas. Il reste là, dans sa tête. Le climat est irrespirable. Je regarde Anne. Elle comprend et dit tout bas: «Oui oui, dans quinze minutes.» Luc bondit.

— Non! Partez pas, crie-t-il, partez pas tout de suite, on commence juste à avoir du fun.

— Luc, dit Ali, laisse-les donc faire ce qu'ils veulent.

À cet instant, Luc entre d'un coup dans ce qu'il nous préparait depuis tantôt: une leçon sur l'ordre. Sur l'ordre et le désordre, la raison et la déraison. Les scotchs que je refuse aussi bien que les tailleurs d'Anne deviennent des affronts à l'art de vivre des créateurs. Nous sommes une tare sociale non pas parce que nous n'avons pas vécu mais parce que nous refusons de vivre cette recherche que comprend la Dérive. Car la vie se trouve, se sent véritablement quand le corps et l'esprit ont excédé toutes les normes. Notre modération, notre plate modération l'écœure, notre efficacité de commis de bureau l'écœure, nous ne connaissons rien, nous ne méritons pas — il cherche le mot — nous ne méritons rien. Quant à Ali, elle n'est qu'une sous-sous-soubrette de vaudeville, non, de burlesque qui n'ose pas aller au cœur de ce que signifie vraiment la responsabilité de l'acteur, tout simplement parce qu'elle ne sait pas jouer. Ses petites distanciations de maniaque ne sont que de l'incompétence déguisée pour confondre ses collègues qui, eux, elles, ont fait le Conservatoire.

C'est le feu roulant des reproches, des blessures. On a beau dire que c'est l'alcool, que c'est son enfance, que c'est l'influence de la nuit, ça reste tout de même là devant nous. Et, si l'insulte nous rate, son effet nous éclabousse. Luc est adroit dans son discours. Il veut atteindre son but. L'acteur est convaincant. Dans un instant, nous douterons de ce que nous avons chèrement, très chèrement acquis.

Ali se démène, lui crie qu'il n'a pas le droit de dire ça. Anne a un tremblement visible dans la gorge. Je la prends par le bras, lui dit: «Ça suffit, on s'en va.» Nous embrassons hâtivement Ali qui nous demande de lui téléphoner demain. Elle ajoute, en aparté: «C'est la pièce qui fait ça. C'est un texte tellement difficile à tenir tous les soirs. Mais c'est bon que ça sorte, il va se sentir mieux demain.» Nous remettons nos vestes en descendant l'escalier.

Anne me devance, traverse rapidement — et témérairement — la rue Saint-Laurent. Je la rattrape. Elle se blottit brusquement contre moi. Elle tremble, me demande en pleurant de lui dire qu'on ne se trompe pas d'être comme on est, qu'elle a si

2

Je n'écoutais pas

Dimanche est calme, lumineux. Nous ne faisons rien depuis notre réveil. Anne se cale dans les oreillers. Elle a le visage bouffi de repos. Je ne sais pas de quoi j'ai l'air mais elle a ri en voyant mes yeux ce matin. Elle feuillette un album sur la peinture espagnole, tourne paresseusement les pages. Moi, j'enfouis mon visage dans son ventre et retiens ma respiration le plus longtemps possible. Je répète ça jusqu'à ce qu'elle me dise: «Trouve-toi donc un livre.» Je tourne ma langue dans son nombril. Elle hurle de rire, échappe son album. La sonnerie du téléphone déclenche notre répondeur. On entend ma voix: «Bonjour, laissez un message après le beep.» Anne trouve ma nouvelle annonce un peu laconique. Je lui dis que ça incite les gens à être concis. Je pense à sa belle-mère qui jase avec le répondeur. On entend Ali dans toute la maison, qui nous fait une imitation stridente d'Arletty. «Surtout l'vez-vous pas! Dites, j'voulais vous dire que Luc vient de m'quitter, là, à l'instant. I m' disait qu'i r'grettait beaucoup pour hier soir et i comprend pas c'qui lui a pris de dire des horreurs comme ça, je lui ai bien dit que c'étaient les prolongations de la pièce qui f'saient ça. Moi — même avec ma dis-tan-cillation! — i arrive souvent que j'dorme pas la nuit, c'est vous dire! En tout cas, j'lui ai fait promettre de vous téléphoner pour s'excuser en bonne et due forme. I m'a promis qu'il allait le faire. Puis, soyez chics, dites-lui pas que j'vous ai avertis. J'vous l'dis seulement parce

29

que j'voulais vous l'dire, voilà. Dites, vous s'rez compréhensifs pas vrai? Allez, j'vous embrasse!»

Anne dit que mon annonce de répondeur a raté son objectif d'incitation à la concision.

— Arletty compte pas, lui dis-je en soupirant.

— C'était pas Arletty, c'était la Charlotte de Notre-Dame.

Je me propose d'écrire un mot à Luc, pour le remettre à sa place. Anne me prévient de ne pas le faire dans cet esprit-là.

— Je te ferai lire la lettre, tu verras. Tu pourras changer ce que tu veux.

— Il reste des disquettes dans la boîte blanche.

— Je sais.

Je replonge ma tête contre son ventre. Le soleil chauffe les draps. Je le sens dans mon cou. J'ai le visage collé au ventre d'Anne. Je reste là. Sa peau commence à coller sous la sueur de mon front.

Anne gratte ma tête.

— Tu m'écoutes pas? me demande-t-elle.

Je lève les yeux. Je n'ai pas entendu un mot de ce qu'elle disait. Étrange.

Elle répète que son contrat au centre-ville échoit dans une semaine et qu'elle n'a rien d'autre, à partir de la semaine prochaine. Si je peux aussi me libérer, nous irons, si je le veux, au Mexique, mais pas au bord de la mer, plutôt à l'intérieur des terres, dans les montagnes, si je veux.

Je lui dis qu'à cause de mon statut au bureau mes semaines de vacances sont nécessairement à mes frais. Elle dit que c'est plus important de changer d'air, elle ne s'est même pas encore servie de l'appareil photo que je lui ai offert à Noël. Je lui dis de décider pour moi. Je la suivrai jusqu'au bout du monde. Elle me dit de faire attention, qu'elle pourrait bien me prendre au mot.

Elle me demande si je dormais tantôt pendant qu'elle parlait. Je dis non, pourtant non, je ne dormais pas. Elle n'a peut-être pas parlé assez fort.

Je réenfouis ma tête contre son ventre. Anne a raison. Un changement s'impose. Demain, j'écrirai une longue lettre à notre ami Luc. Ça fera le point. Pour lui, et pour moi aussi. Anne dit qu'elle trouve ça beau Zurbarán.

— C'est quoi Zurbarán?

— Un peintre, répond-elle. Il fait surtout des moines en jaquette mais le dessin des tissus est beau.

— On dit «aube», pas «jaquette». Ça m'étonnerait que des moines aient posé en jaquette pendant l'Inquisition.

Le téléphone sonne de nouveau. Je dis: «Ça doit être lui.» C'est lui. Il demande si nous sommes là. Il attend quelques secondes puis raccroche.

— Bon, ça c'était concis! dit Anne.

— Pourquoi les gens nous croient nécessairement à la maison quand ils frappent le répondeur?

— L'Amérique est un village. Tout finit par se savoir, bâille Anne.

Je replonge mon visage contre son ventre. Elle se plaint. Elle dit qu'elle n'aime pas ça. Je ne suis pas rasé, ça pique. Et puis il «faut» respirer.

Je relève la tête et lui demande à quelle heure on va se lever. Elle ne sait pas. Elle pose son album et me demande: «D'après toi, c'est quoi le problème de Luc?» J'y pense en silence. Je ne vois pas. Je dis à Anne qu'autrefois j'aurais su, j'aurais pu régler, classer son cas avec un mot, un mot juste. Aujourd'hui, trop de choses m'échappent.

— Tu parles comme un vieillard, dit-elle.

Elle touille l'édredon, l'étale sur elle, puis laisse tomber ses bras lourdement le long de son corps. Elle fait ce qu'elle et moi nommons «la momie».

— Tu sais, me confie-t-elle, quand j'étais petite, je m'endormais toujours avec mon oreiller sur le ventre, comme ça. Je me disais: «Si jamais quelqu'un vient pour me poignarder pendant que je dors, ça va rentrer moins creux.»

Et la journée avance ainsi, avec mollesse. Nous sommes enroulés comme des chats qui dorment. Nous regardons la lumière. La literie est crème et saumon. Les heures passent. Lentes. Blanches. Nous ne bougeons plus. Nous posons pour une étude de drapé.

3

Une présence d'acteur

Luc,

Je vais prendre le temps qu'il faut pour te raconter l'histoire de juillet 82 pour que tu saches d'où Anne et moi revenons. Par quoi nous sommes passés pour en arriver à cette santé qui semble tant te dégoûter. *Ce que nous avons traversé n'a rien d'exceptionnel, au fond ce n'était que du temps, mais nous sommes rendus à un point où il est vraisemblablement nécessaire que tu saches**. Ce qui est arrivé chez Ali, samedi soir, nous a montré que nos conversations n'auraient, dorénavant, plus de sens si tu ne savais pas.

Ce qu'Anne et moi nommons «juillet 82» a commencé le premier mai 1982 pour s'éteindre d'épuisement à la mi-novembre de la même année. Jusqu'à l'an dernier, nous taisions «juillet 82». Encore récemment nous en parlions avec malaise. Voici l'histoire.

Anne et moi avons terminé nos études par une belle journée de printemps, vraiment une belle journée, du genre qui sert à illustrer la beauté des «grands départs» au cinéma. Nous avions presque aussitôt trouvé un petit appartement ennuyeux dans un quartier déprimant. À peine plus qu'une pièce lugubre où gisait par terre un rectangle de mousse recouvert de deux draps blancs.

---

* Les italiques sont d'Anne.

Il y avait aussi deux chaises noires et un téléphone noir. Cette indigence donnait au lieu un air de minimalisme branché qui faisait demander aux visiteurs si c'était «voulu» les deux chaises et le téléphone noir. Tu te souviendras, *en tant qu'acteur*, qu'à cette époque, les affiches de stars circulaient abondamment. Alors dans un effort pour prendre le pouls des choses, nous avions acheté une dizaine de James Dean, Clark Gable, Garbo, Crawford, Weissmuller, *etc.*, en les épinglant tous dans notre unique chambre. *Il y en avait au plafond; c'était de très mauvais goût.* Anne, dont nous connaissons tous l'esprit d'à-propos, trouvait que ça faisait une «présence».

Enfin, ce n'est que quelques mois après la fin de mes longues études que je décroche une carrière: barman d'une terrasse de la rue Saint-Denis. Anne est, depuis des semaines déjà, serveuse dans une croissanterie *de l'Ouest*.

Après le cinq à sept démentiel, je laisse les commandes au barman de soir, et Anne vient me rejoindre. Nous buvons de l'alcool que nous achetons avec nos pourboires, comme des petits animaux bien dressés. Nous nous assoyons aux tables de la terrasse ou carrément sur le bord du trottoir. Nous parlons peu. Des anecdotes hargneuses sur les patrons. Sur les clients. Sans plus. Nous sommes vannés; l'exténuation encore plus forte que l'envie de pleurer.

Et les jours se répètent indomptablement. *Une seule progression: l'usure du corps.*

Un soir de canicule, nous nous endormons dans le bain au son d'une chanteuse qu'on écoutait répétitivement à l'époque *et qui nous susurrait des choses comme: Death is no death for in death I'm caressing you.*

Un jour, je teste le mince pouvoir que mon rang de barman me confère et ça marche: Anne «rentre» au bar comme serveuse. Ça lui fait moins de déplacements, *moins de distance.* Les premiers jours, cela nous amuse, nous excite même.

Les pourboires — *nous prenons le mot à la lettre* — que nous ne buvons pas au bar, nous les utilisons pour acheter des bouteilles que nous buvons à la maison.

Mi-juin, nous calculons rapidement que nous pouvons boire en plus grande quantité et pour beaucoup moins cher si nous nous hâtons de rentrer à la maison après le travail. Nous faisons livrer des poulets barbecues dont nous ne mangeons très souvent que la peau.

Nous buvons du scotch «neat»; de grands highballs bien remplis, sans glaçon parce que la glace dilue trop, «noie» le goût de l'alcool comme disent les clients.

Nous buvons au travail et nous buvons ce que nous économisons par des jeûnes le midi.

Nous buvons parce que nous aimons l'analyse et que l'alcool, il nous semble, nous rapproche du sentiment de certitude qui nous a toujours fait défaut du temps de nos études. *Plus rien ne nous échappe de l'essence des choses.* Nous voyons, il nous semble, et saisissons du premier coup d'œil, le cœur de chaque chose. Nous ne voyons plus la chaise, la table, nous voyons l'essence de la chaise, l'essence de la table. Nous transigeons ainsi, après un très grand Glenfiddich, avec la tabléité et la chaiséité, allant dans notre certitude jusqu'à mépriser tous les punks qui ne peuvent pas en faire autant, tous ces sangliers et ces laies que nous gavons d'éthyles et dont nous cueillons les écus jetés de haut — faune fantastiquement inconsciente qui s'assoit sur des sièges plutôt que de se confronter bravement à la siégéité de la chose.

Nous buvons aussi du Cutty Sark, du Vat 69, du Cattos et du Saint-Léger. *Et puis il arrive que nous soyons saouls en public. Nous nous installons le long des murs, au bar, et nous regardons la salle.* Il y a beaucoup de musique qui défonce l'air mais nous n'en retenons que ce qui passe vraiment: le martèlement des basses, le «stomp» cardiaque qui couvre la clameur. Nous regardons notre monde. Notre création.

Je le jure, Luc, au-delà du vertige, du flottement, des titubations et des phrases mollement articulées, il existait alors, cet été-là, à ce point, *en nous*, Luc, véritable comme un danger, une énergie *de conscience* dans le scotch, une force de vision *si aiguë que son zénith ressemble physiquement à de la lumière violente*. Une lumière qui, projetée sur les clients du bar, fait que ce n'est plus de la Budweiser ou de la O'Keefe que bavent ces lèvres abruties mais de grands filets de sel et de tartre qui durcissent en stalactites sur les crocs des gargouilles. Ce phare, cette conscience venue d'Écosse est si cristalline que le bar sent maintenant la pierre de château mouillée de nitre; les murs ont la fraîcheur et le moelleux du jeune lichen; le plafond du bar finit par se voûter, *s'ogiver,* pour atteindre l'effet cathédrale, *le vertige sacré qui fait que l'intuition devient dogme.*

Nous avons même la responsabilité de reconnaître que c'est nous, en tant que barman et serveuse, qui les avons créés ces monstres qui sont là. Ils sont une centaine. Il se relayent jusqu'aux petites heures de l'aube, traversent en groupe le fond de la nuit. Ces monstres sont assidus; le bar n'est jamais vide. Ils sont indéfectibles dans ce qu'ils sont. Ils vident gobelet sur gobelet jusqu'à ce qu'ils soient lourds et indélogeables comme du roc, comme du plomb. Parfois certains s'enfoncent dans le sol, se noient dans la fange fumante, leurs doigts griffant l'étain des tables dans un dernier effort. Ils s'écroulent et s'éteignent sous le regard de gnomes qui se tapent les cuisses et se crachent au visage leur rire guttural. Monstres pauvres. Horreurs dont la seule fonction est d'être là pour rappeler la monstruosité du corps qui s'encrasse de salpêtre et de calcium au fil des saisons, qui s'alourdit, qui pèse sur les dalles fissurées. Ils ont pris sur eux, courageusement, *par empathie,* de souffrir pour tous les maux du pays, *comme ces moines et ces moniales qui font pénitence pour la terre entière.* Ils souffrent extrêmement, pour eux bien sûr, mais aussi pour que les autres souffrent moins. Ils boivent autant pour les lépreux qui ne s'en sortiront pas que pour la soif dans le monde. Ils ont tant de peine qu'ils en ont la nausée; *c'est bien là le rôle des chimères, des gargouilles: rejeter hors de l'enceinte la souillure qui menace la pureté du lieu.*

Nous reconnaissons enfin notre éthylisme comme une adhésion responsable et nous portons un toast à cette fidélité. L'enfer ne nous épouvante plus; nous circulons dans ses caves comme des concierges à l'air bête.

À la fermeture, nous devons rentrer. Il arrive qu'on nous réveille pour nous le dire. *Il y a toujours un moment de surprise où nous ne comprenons pas ce qui se passe.*

Le plus extraordinaire dans tout ça, Luc, c'est de ressentir ce que tu penses au fil de ce que je t'écris. Comme si tu le mimais devant moi. À la première mention des gargouilles, tu as fait une pause, et tu as fermé tes paupières comme le Premier Prix de conservatoire en toi, qui veut toujours imaginer comment il aborderait le personnage, comment il jouerait la scène. *Tu fais ça avec tant de spontanéité quelquefois, qu'on pourrait presque croire que c'est morbide.* Puis, en bon critique, presque tout de suite, tu n'as pas pris de risque, tu as trouvé le portrait ridicule. L'ironie t'a sauvé de justesse. Tu as repris la lecture (*où en étais-tu?*) à «gargouilles». À ce mot, tu as franchement éclaté de rire. Tu es seul mais tu as ri fort — *déformation professionnelle* — comme si une salle pouvait t'entendre. Je poursuis. *Tu adoreras la suite, elle est presque jouable.*

Aussi palpitants que ces tableaux d'enfer puissent paraître à première vue, ils deviennent rapidement ennuyeux, plats *et dès lors insoutenables.*

Heureusement, avant la fin de l'été, nous avions déjà découvert autre chose. Quelque chose de plus compatible avec nos natures cycliques: les excitants et les dépressifs. Nous sniffions de la poudre de valium la semaine, et de la cocaïne les jours de paie. Le monde de la consommation nous avait permis de renouer, insidieusement, avec le socius des terrasses. Ce mode de vie avait alors un intérêt pour nous. Nous nous libérions lentement de ces visions de grotte épouvantables pour refaire surface, presque normalement, dans «l'activité».

C'est autour de cette date *(en juillet)* que nous avons fait l'acquisition d'un store vénitien bleu marine. Ce store, qu'il fallait commander des semaines à l'avance, était si cher que nous avons travaillé *frénétiquement* rien que pour le payer. Ce furent, étrangement, des semaines relativement heureuses *à cause de cet achat qui gobait tout notre argent,* toutes nos pensées. Notre travail, si abrutissant fût-il, avait momentanément «signifié quelque chose».

Nous étions devenus sociables. Au centre de la salle, nous discutions avec les gens. Nous avions même des amis. Anne a revu une camarade d'adolescence: Aline Blanchard *(qui a changé de nom depuis)* et, de mon côté, je me suis amouraché d'un photographe.

Il n'était pas vraiment beau, mais il crachait des «Fuck you Mary!» comme des chiques et dans ma bêtise d'alors, cela m'impressionnait. Il dispensait cette exclamation aux chauffeurs de taxi et aux objets. Il me traitait aussi avec plus de mépris que je ne pouvais imaginer venant d'un même homme et par un entêtement maudit, j'étais décidé d'aller au fond de ça.

Je me sentais libre à l'égard d'Anne qui avait de son côté *une histoire personnelle* avec Aline Blanchard. Celle-ci, en ce temps-là, parcourait la province ou l'est de l'Est de la ville, dansant aux tables ou se couchant sur un carré de tapis portatif devant ceux qui le lui commandaient. Des gens de tous les poids se penchaient au-dessus d'elle, tendaient avec paternalisme des rouleaux d'argent, bien pointés vers le spectacle. Elle n'avait alors pour se «distancier» qu'une panoplie de pseudonymes.

À la fin de nos journées, nous nous séparons. Anne va retrouver «Cheeta Lépine», et moi je gravite comme un insecte autour de mon photographe qui finit par accepter une part de mes paies pour ses dépenses de petite dope et de gogo boys. Il se nourrissait presque exclusivement de buffets froids et de canapés cocktail.

Je me souviens plus particulièrement d'une soirée dans une maison très cossue sise dans les hauts de la montagne. Ça avait débuté, comme bien des soirées, par une once lourde d'une sorte de haschisch malléable, à l'odeur prenante.

Cela se déroule dans la cour parfaitement rectangulaire d'un cottage bauhaus aux pans chaulés, et cela s'appelle un pool-party. Je crois me souvenir que la fête est donnée par une vedette de la télévision en l'honneur de son coiffeur, dont c'est l'anniversaire (ou quelque événement de même calibre).

Le buffet est spectaculaire. Trop, de l'avis de maints invités qui trouvent la table ostentatoire. Cette table bauhaus qui longe un côté de la piscine, est couverte de salades, de charcuteries et de crudités diverses. Au centre, s'élève une immense pyramide de cailles rôties au bacon. De la grosseur d'un petit sapin de Noël.

Au bar, près du patio bauhaus, il y a un garçon pour les verres et les glaçons, un pour les alcools, un pour les rondelles d'agrumes et enfin un autre qui regarde dans le vide en rongeant l'ongle de son petit doigt. Je fais ce que j'ai vu faire au bar et crois être le summum d'une élégance nonchalante: je demande un Perrier sans glace pour accompagner mon bâton de céleri. Je cherche un signe de complicité chez le préposé aux zestes en lui disant que nous sommes confrères, dans un

sens. Il m'ignore. Je suis poussé, avec naturel, par la file d'invités qui attendent leur drink.

Je ressens très fortement les effets du hasch: bouche
pâteuse, engourdissement, soif. Je cherche mon photographe.
On me dit qu'il est probablement aux toilettes avec Peter en
train de faire une ligne. Immédiatement, le Peter en question
surgit derrière nous, demande qui parle de lui, et part avec mon
interlocuteur.

Une dame très chic, dans la cinquantaine, s'approche de
moi, me saisit par la nuque et, violemment, fourre sa langue
dans ma bouche, la tourne, deux coups, trois coups et s'en va
en me laissant une petite boule de papier mâché sur la langue.
J'avale le petit grain sans y penser.

Abandonné à mon sort, je fais comme je fais toujours quand
je me retrouve seul dans les foules de ce genre: je feins de chercher quelqu'un des yeux. J'étire le cou, penche la tête pour
faire vraisemblable. Tiens, justement, je crois reconnaître Jeff
Simard (Concordia, Fine Arts, 1980) mais je ne suis pas sûr
que ce soit lui.

Une longue crinière noire passe devant moi, me laisse avec
un parfum lourd dans la tête et une fringale incontrôlable dans
le ventre. Je traverse de peine et de misère la foule qui se presse
contre la table. L'affluence est dense comme un jour de marché au Maroc. J'arrive devant la pièce montée de cailles au
bacon. Je n'ai jamais mangé de cailles auparavant; ma mère
ne nous faisait pas ces choses-là à la maison. J'en saisis une
par la patte, tire un peu. Elle résiste. Je tire sec. La petite cuisse
me reste entre les doigts et, pour faire bonne figure, je la dépose,
mine de rien, au centre de mon assiette blanche. Je regarde
les autres viandes en faisant la moue comme s'il n'y avait rien
de bon. Puis, enfin décidé, j'empoigne fermement une caille
par les flancs. Je regarde autour de moi. Une fille très belle,
habillée très chèrement, mange la petite bête en la tenant comme

une pomme, mais je n'ai pas le cœur à l'imiter. Je trouve que ça ressemble trop à un moineau.

Des gens commencent à chanter «Bonne fête, Francesco!» J'ai le front chaud. Je ne chante pas. La fille belle et habillée chèrement ne chante pas, non plus. Elle croque toujours son oiseau, qui bat des ailes comme un poussin hystérique.

Je vais échanger mon oiseau contre une salade quelconque; la plus simple si possible! Mais il y a des larves blanches qui ondoient en groupe sur la table. Ça fait un bruit de friture légère et ça me dégoûte. Il y a même, dans le monticule de perruches mortes, de longs longs vers de terre annelés et rosâtres comme des queues de rat. Ils se frayent visqueusement un chemin au sommet de la construction en enlaçant les petites cuisses au passage. Quelqu'un derrière moi porte du patchouli j'en mettrais ma main au feu. À l'extrême gauche, un petit groupe d'invités crie «Wow!» tous en même temps et une musique de clarinette-à-serpent (il n'y a pas d'autre mot, c'est une clarinette-à-serpent) monte lentement par dessus le bruissement mondain. Jeff Simard — c'est bien lui — commence à danser avec le fêté, non, il danse seul, devant le fêté. Il tourne, il danse, il a chaud. Il ôte son chandail et le fait tournoyer à bout de bras. Des gens applaudissent, sifflent. Une dame très âgée s'approche de moi à petits pas. Elle soulève le châle qu'elle porte en voile et me glisse à l'oreille, mignonne, d'un accent so british: «Honestly, why does every pool-party in town has to shove in a strip-telegram, it's always the same. God, I'm bored. Bored stiff!» Cette femme qui me parle est si aimable avec moi que je vais me retourner, lui sourire et, gentiment, abonder dans son sens, mais elle a le front rouge de pustules (ou sont-ce des chancres? je ne saurai donc jamais la différence) et je n'aime pas les gens qui ne se lavent pas la figure et les mains avant de manger, ça me dégoûte comme cette table frémissante de vermine, il y a tant d'asticots qu'avec un peu d'imagination on pourrait croire que c'est un lit de riz! Jeff est sur le point d'ôter son slip, il se déhanche de façon si experte que je suis étonné qu'il ne bande pas. Il se retourne, derviche derviche, et entame la descente du cache-sexe en ayant toujours à l'esprit le point de vue du coiffeur jubilaire. Autour, on continue de jaser en ne se souciant pas, mais vraiment aucunement, des sangsues noires qui pleuvent çà et là des branches du grand saule juste au-dessus de nos têtes, c'est la mousson qui cause ça. J'aime bien ce «chic» colonial mais ça manque un peu de profondeur, je trouve. Jeff Simard remet rapidement son pantalon et s'affaire à ramasser ses vêtements épars. Je dis à quelqu'un, que je connais le gars qui a dansé. C'est le dernier souvenir que j'ai de cette soirée: je raconte à quelqu'un que Jeff Simard et moi faisions partie de la même équipe de laboratoire dans un cours intitulé «Les grandes questions biologiques».

Après ça, on passe tout de suite au réveil chez mon photographe. Je suis couché en boule, nu et sale, au pied de la porte, comme un chien. Dans le lit du photographe, il y a un homme, une femme et quelqu'un d'autre; le calme des draps est cadavérique. Je vais coller mon front au vitrage du loft pour me rafraîchir. Je crains pour l'émail de mes dents tellement elles claquent fort. Je croise mes bras et les presse contre mon ventre pour étouffer les secousses. Rien n'y fait. Je tremble. Je tremble. J'ai un goût amer dans la bouche. Je n'ose pas imaginer pourquoi. J'essaie de toutes me forces et de tout ce qu'il me reste d'âme, de penser à autre chose.

Et puis, sournoisement, le scotch avait refait surface dans notre alimentation et peu de temps après la fête du Travail, Anne a commencé à avoir ses fameuses hallucinations. Elle voyait fréquemment des poissons d'argent (petits cloportes très agiles *ou plutôt sorte de coquerelles métalliques)* qui lui grimpaient en flots le long des jambes. *Il arrivait que les attaques se ter-*

minent par une crise d'asthme plutôt terrifiante. De mon côté, je tentais de soigner, *au mieux de masquer,* les contusions diverses que me laissait mon photographe.

Il arriva enfin ce qui — *mais pourquoi donc?* — ne s'était pas sérieusement produit depuis des mois: Anne et moi avons parlé ensemble du sens que prenait notre vie.

La question était simple: pouvait-on, compte tenu de ce que notre intelligence nous avait fait voir et de ce que les circonstances nous avaient montré, pouvait-on continuer de vivre naïvement, comme si rien ne s'était passé? *Et surtout,* nous restait-il assez d'énergie pour intervenir dans notre existence?

Là, tu dirais (*mais nous l'aurions peut-être dit avant toi*) avec ironie encore: «Pauvres enfants: un diplôme, un emploi. Quel karma!» Pour rappeler un élément important de juillet 82, il faut savoir que nos systèmes nerveux n'étaient plus en très bon état. *Parfois, il nous semblait que les synapses ne faisaient plus le contact.* Nos muscles avaient fondu sous la peau. Tous les escaliers étaient trop hauts, trop longs, les caisses de bière évidemment trop lourdes, *les jambes faibles,* le ventre mou, les muqueuses brûlantes et — *comment dire l'horreur* — le visage de moins en moins lisse, de moins en moins clair, de moins en moins «ressemblant». Il arrivait que notre respiration soit volontaire. L'inattention pouvait nous être fatale. *Nous vivions ainsi dans l'angoisse d'une tentation.* Nous n'avions plus le contrôle total de notre corps. Souvent quelque fantôme s'en occupait, s'en amusait.

Je me souviens qu'une grande partie de cette conversation sur l'orientation de notre vie c'est Anne qui l'a tenue. Elle me parlait de literies douillettes dans lesquelles elle nous imaginait souvent, à l'abri du monde; elle parlait de «flanelles pêche» qui nous enturbanneraient les reins jusqu'à la grâce, de literie d'importation française; elle en parlait comme d'un paradis perdu avec *dérision et* douleur.

D'un commun accord, Anne et moi avons alors décidé de nous retrancher de la vie extérieure. Anne devait rendre le téléphone au Bell pendant que j'allais chercher nos formulaires de «cessation d'emploi» au bar. Nous devions nous retrouver à cinq heures à la maison. Anne a informé Ali qu'elle partait en voyage pour un bout de temps. J'ai rompu avec mon photographe qui, au cours de la scène que je lui ai faite, me regardait comme s'il essayait de se souvenir où il m'avait déjà vu.

À cinq heures trente, Anne est arrivée avec trois bouteilles de Chivas. J'avais deux Glenlivet.

Le soir, après notre énième bouteille, nous avons partagé équitablement les comprimés qui restaient et nous nous sommes assis *coitement* face au store bleu après avoir désépinglé toutes les affiches et affichettes de célébrités qui couvraient nos murs *en nous demandant ce qui avait bien pu nous motiver à nous munir de ces icônes en premier lieu. Je crois avoir déjà pensé que tous ces acteurs nous feraient un semblant de présence, un leurre rassurant, comme les airs qu'on siffle quand on est seul dans le noir.*

Nous nous sommes retrouvés assis *sagement* devant le store marine à contempler ce bel objet bleu dont les étapes d'acquisition nous avaient tenus en vie pendant deux semaines. Au bout d'un quart d'heure, nous nous sommes écroulés par terre, *presque volontairement.*

Nous sommes tombés et de ce sommeil, il ne subsiste aucun rêve. *Peut-être quelques fois la sonnette de la porte d'entrée qui s'énerve, ébranle notre sensation de flottement, fait des ronds dans l'air puis s'éteint, comme nous, de fatigue.*

Je ne sais toujours pas «exactement» ce qu'est mourir, mais je pense que tous les instants de juillet 82 superposés pourraient nous en donner une sorte de portrait-robot. On échappe une coupe, qui bascule du plateau pour se fracasser contre la pierre du sol; le juron qui file alors des lèvres de la serveuse à bout de nerfs est une aiguille de vent qui va percer ce point en nous d'où viennent les voix qui montent: «*Les gens qui te bousculent pendant que tu cueilles les tessons, c'est normal, si tu penses que tout ça devrait être différent, alors assieds-toi et explique au bar entier en quoi ça devrait être différent. Je te défie de le faire! À quoi t'attendais-tu? À une existence rayonnante peut-être? Quelque chose de biographique? D'inspirant? Passe ton tour!*» Et si personne d'autre ne compatit à ça, c'est que la musique est trop forte. Ça et «perdre la vie», c'est du même ordre, c'est le même champ d'action. Oui, sûrement que mourir ressemble beaucoup à ce dessin vaguement tracé par le souvenir de juillet 82.

Nous nous levons, ne reconnaissons plus le lieu. Il nous faut attendre d'être terrassés par un haut-le-cœur pour nous ramener à l'existence.

Nous revenons machinalement à nos chaises. Rien ne nous importe tant que le store bleu.

À force de les fixer, les lattes marine ondoient et ce mouvement nous concentre vicieusement sur les lattes marine. Nous sommes là, âmes bées, devant les lignes bleues. Béatitude. Nous avons l'air extasiés. À nouveau, nous ne sommes plus là. Nous avons la sensation que c'est un signe. Mais un signe de quoi? Nous l'ignorons à un point tel, que des larmes, venues du ventre, jaillissent et coulent. Sommes-nous restés là une heure ou une journée, nous ne savons plus. Le temps qui manque est, par définition, incalculable.

Anne, la première, est sortie de cet état. Je me souviens de sa main flattant mes cheveux, de sa voix *chuchotant*: «*Je me sens comme au milieu de l'été, quand je t'ai mis à l'envers à force de te dire que je voulais te sauver la vie en t'enveloppant dans des flanelles pêche et en te serrant la tête contre moi, ici, en t'embrassant partout jusqu'à ce que tu en sois gommé, poisseux de bave et de bonheur.» Je lui ai répondu que je me souvenais de tout.*

Sans plus parler, nous sommes sortis dehors pour prendre l'air. Je me rappelais mes seize ans. Je ne sais pas pourquoi. Nous avons marché dans la ville, étonnés. Il faisait un temps inhabituel: de la pluie intermittente et un soleil de plomb, des nuages menaçants au-dessus d'édifices lumineux. Nous étions assis dans un parc. Anne a dit: «Je vois des points blancs.» J'ai dit: «Moi aussi.» *Nous avions, depuis longtemps déjà, renoncé à l'effort de nous nourrir convenablement.* Nous regardions le ciel, nous laissant bercer par le mouvement liquide des points blancs patinant sur nos cornées. Soudainement, des oiseaux blancs se sont mis à suivre le mouvement des points. Et puis des cris de mouettes *ou de goélands* ont résonné dans le ciel. Le piaillement augmentait. Anne s'est levée debout sur le banc et, brandissant un poing victorieux, a crié: «Terre! Terre!» J'ai ri fort et mon rire a réveillé notre faim. Nous nous sommes orientés d'après le tourbillon des mouettes et avons abouti, intuitivement, au Poulet Doré.

Une semaine plus tard, Anne faisait du jogging dans ce même parc pendant que moi, dans un effort naïf, j'allais m'acheter un veston convenable avec de l'argent emprunté à mon père. Dans le vent de notre décision de poursuivre, nous en étions venus à croire qu'il y avait un lien entre la rigidité des tenues et la protection nécessaire pour affronter le quotidien. Les épaulettes sont là pour un effet de «carrure», qui aide à traverser les journées normales; c'est une surface résistante. Quel portrait nous formons!

Je n'ai, heureusement pour toi Luc, pas tout raconté. Il y a maint événement, je suppose, que je ne saurais rendre aujourd'hui, même avec la meilleure volonté du monde. Car il y a les blancs de mémoire. Mais l'inquiétude de l'amnésie est fugace, futile, car pires que les trous noirs sont les «zones d'ombre» où ne subsiste que le côté le plus hideux d'un événement, sans éclairage aucun sur ce qui pourrait le justifier, l'expliquer, rien, *seulement le coup, la meurtrissure, le cri et le gouffre de la contrition,* et quand ces zones sont multitude, et cela est possible, alors la fin immédiate est séduisante, parce qu'en nombre ces nuées grises peuvent — et c'est là leur maléfice profond — flouer l'avenir comme une glace embuée et de ce point de vue, les trous noirs sont les seules certitudes.

Aujourd'hui nous marchons vite, c'est vrai, mais c'est pour ne plus prendre le temps de buter sur une angoisse. Nous filons vite. Parfois — oh, c'est peu de chose — une photo, un visage, un fait divers, une goutte de sang sur un mouchoir, une remarque blessante nous rappelle aux cendres qui gisent dans nos mémoires.

Tu ne vois peut-être pas, Luc, tel que promis, d'où nous venons et peut-être même pas exactement ce que nous avons traversé, mais tu sais un peu ce que signifie «juillet 82» pour nous et pourquoi, comme tu dirais, nous avons «mérité le droit» de taire certains gestes. *Nous sommes du genre pour qui une date est encore terrifiante et* nous travaillons à ce qu'il n'en soit jamais plus ainsi. Pour cela il faut se battre avec le temps, dompter l'existence à force d'attention. Il faut être de tous les instants, présents sans relâche.

Maintenant que tu sais toutes ces histoires sur nous, peut-être pourrons-nous tous, passer à autre chose.

Amicalement,

P.-S.: Anne a trouvé des billets de dernière heure pour le Sud. *Nous quittons Montréal la semaine prochaine.*

4

Vol

Le DC8 semble vieux, les sièges sont étroits et le suprême de volaille est douteux à tous les chapitres. Anne et moi sourions simplement devant chaque détail comme si cette attitude joviale pouvait atténuer l'inconfort général du vol.

Les hôtesses commencent à desservir. Déjà, on entend des tablettes remonter dans la section avant.

Je demande à Anne ce qu'elle a apporté comme lecture. Elle dit de regarder dans le sac noir. Je lui dis de ne pas parler la bouche pleine. Vais-je lire un livre, un magazine? Qu'est-ce que je tiendrais, un petit format, un grand? Du solide ou du pliable? On nous débarrasse des plateaux.

Je me penche pour fouiller dans le sac et c'est à cet instant qu'Anne retient mon bras, me regarde dans les yeux et me dit: «Attends. Il faut que je te parle avant.»

Elle respire comme pour se calmer: elle n'a pas — comme elle avait elle-même offert de s'en occuper — posté ma lettre à Luc. La lettre est dans le sac noir. Si j'y tiens vraiment, mais seulement si j'y tiens vraiment, je pourrai la poster du Mexique. Elle préfère que je ne le fasse pas. Elle dit que, d'avoir lu l'histoire de cet été-là, d'y avoir même fait des ajouts, lui a donné l'impression que cette période de sa vie pouvait, un jour, se reproduire. Elle se demande si on n'a pas, en quelque sorte, exhumé des cadavres. Elle a peur. Elle se demande si ce n'est pas un peu malsain de faire recirculer cette histoire. Ça pourrait réveiller de mauvais génies.

J'ai du mal à croire que c'est Anne qui parle ainsi. Elle a beau utiliser des «comme si» à chaque phrase, pour montrer que ce n'est pas exactement ça qu'elle veut dire, je ne partage pas pour autant ce genre de craintes païennes.

Elle remarque ma réaction et me dit, jouant le tout pour le tout, qu'en écrivant cette lettre nous avons réifié ce que nous tenons, depuis ce temps, pour la mort. Le récit de juillet 82 est là dans le sac. Elle pointe l'objet et dit, avec tension, que cette fiction a encore un pouvoir sur nous. Elle est sérieuse. Elle dit que cette lettre devrait être détruite. Enterrée, si on veut. Oubliée. Mais si Luc apprend ce que nous avons traversé, cela ranimera, à chaque conversation, à chaque phrase, à chaque pause, cela ranimera ces forces maléfiques (elle dit que le mot est de moi!). On ne pourra plus lui parler sans penser qu'il sait, et à chaque relecture qu'il en fera, à chaque fois qu'il y pensera, cela se perdra dans l'air comme une vapeur délétère et nous le respirerons, dans nos sommeils, dans nos cauchemars, dans nos réveils.

Je lui dis avec sévérité, en pesant chaque mot, que ce n'est qu'une lettre. Une lettre à un ami. Elle frappe l'accoudoir et monte le ton, me criant qu'elle n'en revient pas de ma naïveté. Je la somme de se calmer. Elle s'énerve, cherche son inhalateur à tâtons dans le sac, le trouve et le porte à sa bouche. L'hôtesse demande si elle peut aider. Je la remercie. Elle insiste, naturellement curieuse, et, sans émettre un son, articule «asthme?» en posant ses doigts sur sa gorge pour se faire comprendre. Je lui dis sèchement que tout est sous contrôle.

□

Anne respire maintenant calmement. Son visage est blanc. Elle regarde les nuages. À quoi peut-elle penser? On croit connaître quelqu'un…

Elle promène son doigt sur une rainure du hublot. Son geste est fatigué.

Au bout de quelque temps, sans me regarder, sans interrompre son geste lent, elle dit, d'une voix toute petite: «Jure-moi que tu la posteras pas.»

Je lui dis que je vais la jeter tout de suite. Elle dit non. Elle dit: «On va la brûler ensemble. On va se jurer de ne plus jamais en parler. À partir de maintenant, il pourra plus rien nous arriver. Rien. Plus jamais.»

5

Cahier mexicain

Oaxaca, lundi le 2

Une chose amusante s'est produite ce matin. Nous sommes allés au supermercado voir les étalages de poterie locale (des pièces toutes noires comme de la mine coulée) puis nous avons fait nos courses séparément. Je devais acheter des fruits et Anne, de quoi dîner. Nous nous sommes retrouvés à la maison — que nous appelons injustement «la hutte» — un peu plus tard. Nous avons mangé des tamales tièdes et des mangues. Nous avons bu des tequilas con limon et nous sommes convaincus que cela suffira à nous protéger des amibes. À la fin du repas nous avons échangé des cadeaux. J'avais acheté ce que le marché me proposait de plus inattendu: un cahier scolaire avec une figure aztèque (Tlaloc?) en frontispice. Anne — et ce genre de hasard se produit souvent — avait fait exactement la même chose. Nous les avons échangés en riant. J'étrenne le mien illico. Anne prend l'air dans la porte d'entrée, elle sirote un doigt de mezcal. Dans une maison avoisinante, il nous semble qu'une personne joue de la guitare. Mais il y a une radio qui parle plein volume, on peut difficilement suivre l'air. On sait que c'est une vraie guitare parce qu'il arrive que le joueur chante une phrase.

Mon cahier «écrit» bien. Anne dit qu'elle «ne file pas journal» ce soir.

Nous logeons dans le quartier zapotèque de la ville (Anne, qui lit au-dessus de mon épaule, rit parce qu'il n'y a *que* des Zapotèques dans la ville). Nous logeons chez la sœur de la femme de chambre de l'hôtel Francia où nous n'avons pu rester plus de deux nuits. La sœur de notre ex-camériste est absente pour une raison qui est restée évasive tout au long de l'arrangement. La maison est rudimentaire (Anne rit) et nous devons nous faire à l'idée de partager ce deux-pièces avec un couple de lézards vert feuille qui va et qui vient avec une vélocité et une agilité presque magiques.

Il y aura des chambres à l'hôtel Francia dans trois jours, mais Anne et moi — toujours en quête de sensations paratouristiques pour impressionner Perluzzo et Blanchart à notre retour — avons décidé de rester ici, «bien au chaud» c'est le cas de le dire.

Anne n'a pas reparlé de la lettre. Je la garde dans ma valise, bien cachée entre deux chemises.

Ce sont souvent les petits détails qui retiennent mon imagination. Les pyramides de Monte Alban sont impressionnantes et le site est célèbre, mais ce qui me rend songeur c'est, bien plus, par exemple, Prisca, notre petite voisine zapotèque qui vend sa ménagerie d'onyx aux touristes du zócalo (la place centrale). Elle doit avoir six ou sept ans et marchande déjà avec une grande habileté. Elle joue souvent avec les pesos de nickel, les faisant «débouler» entre ses phalanges avec l'aisance d'un gangster de film noir. Ce geste, ce jeu de pièce qui miroite en roulant sur le dos des doigts, je ne sais pas pourquoi, est très fascinant. Des détails comme ça ou certains usages comme celui de flatter les gros blocs de glace livrés sur le seuil des taquerias qui tiennent la Fanta, juste glisser sa main sur le dessus sans s'arrêter de marcher, et la passer tout de suite sur son front pour se rafraîchir. Ensuite, les femmes font de petits gestes secs et «étoilés» avec les doigts pour secouer la sueur mêlée de glace fondue. Je n'ai vu que des femmes faire ça. Je parle de la glace parce que j'en ai rêvé la nuit dernière. Ça m'impressionne beaucoup que la glace soit livrée à domicile ici. Au début du siècle, c'était courant, mais aujourd'hui ça a quelque chose d'anachronique. Notre bloc n'est pas très gros: à peu près le double d'un attaché-case.

Au fait, nous ne retournerons pas travailler avant le 25. Quel bonheur. Demain, nous réglerons le cas des cartes postales.

Avons posté une carte à Ali où nous rapportons plusieurs anecdotes comiques (la plupart inventées). Aussi une carte pour Luc Perluzzo où nous lui réitérons notre amitié. J'ai repensé à la lettre. Forcément. Au téléphone, avant de quitter Montréal, Luc et moi avons été froids. Il était embarrassé et je ne voulais pas lui faciliter les choses. Pourtant, il aurait été si facile de le faire. D'où m'est venue cette résistance?

Prisca, avec sa nouvelle canne de tambour-major, fait l'envie de ses collègues de travail au zócalo.

Nous avons visité Tule où se trouve le plus vieil arbre du monde. Son tronc est monstrueusement tortueux et il faut compter une bonne minute pour en faire le tour à pied. Aujourd'hui, l'arbre est alimenté par un système d'irrigation souterraine parce qu'à son âge il boit plus d'eau que n'en fournit le climat de la région. Anne a fait des photos du feuillage. Moi, pendant que le petit guide ne regardait pas, j'ai piqué une brindille. Ça me semble être un conifère.

Au retour de Tule, j'ai voulu changer de chemise. Je suis inévitablement tombé sur la lettre. Je l'ai déposée sur la table. Au centre, bien en vue. J'attends qu'Anne m'en parle. Je ne garderai quand même pas ce tas de feuilles sur moi toute ma vie, à attendre qu'elle prenne une décision quant à son sort. Cette lettre crée un malaise depuis notre arrivée. Il serait temps qu'on en parle clairement.

Grosse discussion avec Anne. Engueulade serait plus exact. Il n'est pas question que nous montions une messe pour conjurer quoi que ce soit. Prisca a suivi une partie de la scène. Heureusement qu'elle ne comprend pas le français. Nous avons terminé la discussion sur un ton civilisé, entièrement joué pour notre témoin. Tout ça pour une lettre adressée à Luc, et avec *mon* nom comme adresse de retour (à peine croyable que ce dernier détail ait pu jouer en ma faveur, c'est dire le niveau de la chicane!). La lettre reste là sur la table. Et je ne veux pas que personne y touche.

Aujourd'hui, pas grand-chose. Je le dis parce que je me suis promis d'écrire au moins une chose par jour dans mon cahier. Il me semble que la population de lézards a doublé depuis notre arrivée. Ils se font dorer au soleil et quand les rayons frappent le stucage rose de la pièce, je dois avouer que le contraste des couleurs est joyeux, mais je préférerais nettement voir tout ça en peinture, sans le mouvement preste des petites taches vert feuille.

J'ai apprivoisé un lézard ou vice versa. Il vient souvent me voir. Anne, qui a recommencé à parler, me taquine. Elle dit que ce n'est jamais le même. Nous sommes restés au lit jusqu'à midi, enlacés, en sueur, à la limite de l'inconfort. (Je parle d'Anne, pas du lézard!)

Prisca est entrée en sautillant, tout heureuse de nous annoncer que nous n'aurons plus jamais à nous chicaner pour la lettre parce qu'elle l'a postée. Elle jubilait également en nous apprenant que ça ne nous coûtera rien parce que son oncle travaille au bureau de poste et qu'il a une _____ («estampille»? je n'ai pas saisi le mot) qui affranchit gratuitement les lettres. Anne a calmement dit à la petite qu'elle ne devait plus rentrer comme ça sans frapper.

J'ai tenté de remonter le moral d'Anne, à coup de gros bon sens, mais elle ne veut rien entendre. Elle n'a pas l'air fâchée; elle est lasse. Elle est appuyée contre la porte et me regarde écrire.

Aujourd'hui presque rien. Anne semblait fatiguée. Prisca lui a offert une Chiclet pour lui «donner des forces». Ça a marché. Je lui ai demandé si c'était une vieille recette mixtèque. «¡Zapoteca, si!» Cette enfant a des yeux si «profonds».

Le cantor reprend sa complainte. C'est beau. Je dis complainte, je ne sais pas. Les mots ne me parviennent pas clairement. Il n'y a que le genre qui soit clairement perceptible: c'est le genre «complainte». Entendre une voix vive, émise d'une gorge qui n'a plus peur du drame. Ignorer de quelle casa vient le chant. Regarder dehors. Ne voir que des maisonnettes apparemment inhabitées. La voix se mêle à la chaleur. Si intimement qu'on pourrait la humer. (Et je ne comprends pas un traître mot!) La tête renversée contre le stuc rugueux qui gratte le cuir des cheveux. La pause est totale pour le saurien à l'œil torve. Existe-t-il des voix qui ont tout éprouvé? Cela est-il possible? Ah, chaque fin de refrain est une fin du monde. Est-ce ça, *la plus belle chose*? Pourquoi cela se produit-il maintenant? À l'étranger? Pourquoi les belles choses sont-elles étrangères?

Ce soir nous avons soupé dans un couvent qui a eu l'inspiration de transformer son cloître en restaurant. De toute beauté. Nous avons rapporté des panes dulces pour Prisca. (Il faut que cette enfant apprenne à accepter sans se sentir endettée! ce sont des mentalités si étranges...) Pendant le repas, j'ai pensé au mot «luxuriance», le seul qui approche la beauté des fleurs dans le lierre, le long des arcades. Le ciel était moucheté de constellations si impeccablement tracées qu'elles ressemblaient — pour une fois! — aux cartes astronomiques.

Anne m'a dit que je pouvais prendre son cahier, si je voulais. Tout compte fait, elle n'écrira pas. Elle a peur que son style «communiqué de presse» ne ressorte dans son récit de voyage. Ensuite, on n'a pas cessé de faire des farces sur le sujet. On imaginait des dépêches criardes, des titres chocs. Les serveurs, qui n'y comprenaient rien, nous ont trouvé sympathiques, je crois. C'était bon d'entendre Anne rire. En rentrant, elle m'a dit que son goût pour la photo lui avait repris pendant la soirée et ça m'a fait un grand bien de l'entendre parler ainsi. Elle faisait mentalement des gros plans du lierre derrière moi à table; elle passait son temps à cadrer les plantes dans sa tête. Elle semble bien décidée. Demain, elle retournera dans la région de Monte Alban pour photographier la végétation, pas nécessairement des ruines, juste «de la feuille verte». Je n'aime pas marcher dans la jungle. Elle ira sans moi. Je revisiterai peut-être le musée. On fait vite le tour de Oaxaca. Mais c'est bien de revoir les choses plusieurs fois, ça raffine les souvenirs.

Je suis content qu'Anne «remonte».

Pluie intermittente aujourd'hui. Expédition d'Anne reportée. Avons passé la matinée à contempler les progrès de Prisca au bâton de majorette. Elle a «fermé boutique» en raison du temps. Elle ne s'y est mise que depuis quelques jours et déjà elle fait l'hélice, le tourniquet et presque la chandelle. Anne a été impressionnée. Prisca (toujours pour s'acquitter des leçons) a offert de lui montrer comment faire débouler le peso sur les jointures.

Dans l'après-midi, sommes allés au zócalo (la place centrale) nous abriter avec les cireurs de soulier dans les boutiques souterraines du grand kiosque blanc. Un vieil homme a expliqué à Anne pourquoi les grands édifices espagnols de la ville étaient vert pâle. C'est à cause d'une pierre de la région qui contient du cuivre. J'ai dit à Anne qu'en attendant de photographier sa verdure elle pouvait se reprendre sur les pierres d'édifice. Ma remarque francophone était impolie. Elle ne tenait pas compte de la présence de notre anciano qui croyait avoir mal entendu. Anne lui a expliqué qu'elle projetait d'aller photographier des plantes dans la jungle; je riais en reconnaissant son air qui veut dire: «Mais pourquoi je lui raconte ça...» Aussitôt, le vieux a proposé que son gendre serve de guide. Il a dit que les beaux sites près de la montagne, il fallait les connaître. Il a également prétendu qu'on pouvait très facilement se perdre dans la montagne, que c'était extrêmement dangereux à cause des tombeaux mixtèques couverts de mousse que les archéologues n'ont pas encore grattés; il paraît qu'on ne les distingue qu'à vol d'oiseau. Je n'ai pas compris le danger. C'était sûrement un argument pour nous inquiéter. J'ai quand même dit à Anne d'accepter. Elle a beau être débrouillarde, je n'aime pas qu'elle aille seule dans ces bois-là et ce n'est pas moi qui vais l'y accompagner. Anne a alors imité un scorpion avec ses doigts pour me taquiner (Anne, la comique). On s'est entendu avec l'ancien. Son gendre attendra Anne (s'il ne pleut pas) sur le parvis de l'église à sept heures de la mañana. Il est entendu que j'irai reconduire Anne devant la grande église coloniale. Elle dort déjà.

Il est tard. Il a recommencé à pleuvoir et Anne n'est toujours pas rentrée. Ce n'est pas normal. J'aurais dû attendre que le gendre arrive. Je n'aurais pas dû la laisser seule. Elle insistait pour que j'aille me recoucher. J'avais peu dormi; j'ai cédé. Elle pourrait être emprisonnée dans une salle funéraire dont le toit se serait ouvert sous ses pieds. On ne la retrouverait pas avant des siècles!

Je ne peux m'empêcher de revoir le monticule d'insectes sombres qui a fait un bruit de coquille d'œuf sous le pied du commis de bureau. Je ne comprends pas le sens de cette vision. Il n'y a assurément rien de grave, rien d'inquiétant. Mais je n'arrive pas à chasser l'image. Je n'aime pas ça. Je sais que ces images n'ont que le sens et l'impact que l'on veut bien leur accorder.

Et je ne peux pas m'empêcher, non plus, de repenser à la lettre. Ce serait trop bête si quelque chose arrivait maintenant. Ce serait plus qu'un hasard. Cela signifierait que nous avons perdu la bataille et que nous avons eu tort de vouloir vivre en vainqueurs. Mais que peut-il se passer? Rien. Il ne peut rien arriver de grave. Ça, je le sais.

À neuf heures, je retournerai à la place centrale voir si le vieux y est. Peut-être qu'Anne soupe tranquillement dans la famille de son guide — toujours en quête de sensations paratouristiques. Sûrement une chose du genre. Il ne peut rien être arrivé de grave. Je le saurais. Je le sentirais.

Je ne peux toujours pas dormir, mais maintenant au moins je suis calme. Il y a une heure, j'étais si furieux contre Anne. Des voisins m'ont même crié d'aller dormir. J'étais tellement furieux! Ce qui est arrivé c'est qu'Anne m'a été livrée — oui, comme un bloc de glace — à une heure et demie du matin, par la cousine et le gendre ivres comme des ânes. Anne puait le mezcal et la sueur. Elle était complètement abrutie. Ils l'ont tout simplement laissée tomber sur le lit comme une poche de maïs. Ils se sont excusés de l'heure, de la situation, de leur état, en glissant ici et là des allusions floues à Juarez et à Cortez, qui n'avaient, mais aucunement, rien à voir avec ce que je voulais entendre. Apparemment, après quelques boulets de mezcal — et quelque chose d'autre si j'en juge au carmin de leurs yeux — Anne a empoigné un bout de tuyau et quitté le campement (ah bon, un campement!) pour aller dans la jungle mexicaine faire des drills de bâton. Cette brillante idée s'est révélée à notre majorette vers dix heures du soir et ce n'est que quelques heures plus tard qu'on l'a retrouvée, trempée aux os, à moitié nue, cherchant son bâton dans le feuillage, riant aux éclats. «¿Y por que reía ella asi?» Il a haussé les épaules et a dit qu'il ne savait pas pourquoi elle riait. Je crois que la cousine, à ce moment-là, a murmuré «los dios» ou «odios» mais sa voix n'était pas claire. Puis l'homme a inspiré fort et d'un trait m'a presque crié au visage qu'il jurait, ici et maintenant, sur la tête de ses ancêtres et de sa mère, qu'Anne n'avait pas été touchée. La cousine a acquiescé, «no, no, no», en balançant mollement la tête à chaque «no». Anne s'est mise à rire très faiblement. Ça ressemblait à de petits soupirs très brefs. Elle s'est rendormie aussitôt. Je n'osais imaginer ce qu'elle avait dû réveiller en elle comme monstre d'angoisse par cette saoulerie. J'ai fermement remercié la famille. J'étais soulagé.

Immensément soulagé de voir Anne sauve, près de moi. Puis-je lui en vouloir de ne pas avoir téléphoné? De la jungle? Tout ça n'est pas sérieux... Nous n'avons même pas le téléphone!

Anne a cessé de respirer dans la nuit. Je m'en suis rendu compte en l'embrassant tantôt. Elle a la bouche entrouverte, mais on ne voit pas sa langue. Je la regarde. Je ne cesse de la regarder. Je n'écris pas tout. C'est une chose *dure* à voir. Le livreur de glace arrive d'une minute à l'autre. Que faire? Que faire? Que faire pour la glace? Je vais lui dire de laisser tomber pour les autres jours, je vais payer le bloc d'aujourd'hui et la glace impayée aussi s'il y en a, mais je ne crois pas, je crois vraiment que nous sommes à jour dans la glace, mais pour les jours qui restent je vais laisser tomber, je n'en prendrai plus, ça me fera économiser, quoi, combien de pesos cela me fera-t-il économiser? La glace qu'on me laissera tantôt, le gros bloc, je m'en servirai pour me rafraîchir le front. Je passerai ma paume et mes doigts sur le dessus, sur la face du dessus, ensuite sur mon front. Mon front et celui d'Anne aussi. Et les gouttes de glace fondue mêlée de sueur, je les secouerai en faisant des gestes d'étoile. C'est comme ça qu'on fait maintenant.

La proximité du feu
(deuxième cahier mexicain)

La pluie donne corps au vide, rend l'air sensible. Sensuel. J'ai passé une heure allongé près d'Anne. Je n'arrivais pas à comprendre ce qui s'était passé. Chaque éraflure sur ses jambes, chaque piqûre d'insecte, chaque odeur violente devenait le point de départ d'épouvantables scénarios de mort où revenaient constamment des colonies de scorpions raidissant leur dard, prêt à raturer. Simplement, Anne a cessé de respirer. La langue a-t-elle chuté?

La pluie est bruyante. Il pleut tellement. Ça meuble le silence. Ça rend l'air sensible. Sensuel. J'ai voulu couvrir Anne. La protéger des petites pattes de lézard. Prisca a soudainement crié derrière moi alors que je tenais le drap. Je ne l'avais pas entendue entrer. Je me souviens de ses pleurs qui ont amené les miens. De sa mère qui s'affolait. Du médecin courtois. Incrédule. Je me souviens des regards. Tant de regards.

Prisca ne m'avait pas tiré d'un songe. Elle m'avait ramené d'où j'avais sombré en silence. Cela a commencé lorsque je couvrais Anne. Le drap m'a rappelé Montréal, un midi. Le soleil sur les draps nous baignait dans la fiction. Nous étions des personnages déposés là dans l'irréel, instruments de quelque esprit créateur. J'étais personnage, respirant bruyamment pour que l'existence s'entende du public pendant que je me pressais contre ton ventre blanc. Alors, brièvement, Anne, j'ai cru aux choses éternelles. Je ferme les yeux et je tente de rappeler à moi cet instant fabuleux, à Montréal, un midi de grasse matinée, contre ton ventre, où j'ai cru que l'immortalité corporelle était possible. Cette lueur d'espoir a déjà eu lieu, ça a existé, je me souviens, c'est que je, c'est que je n'arrive plus à le «rejouer» pour toi, ne peux pas, voudrais tant, ne peux pas le faire. J'ai regardé ton épaule et ta nuque. Ai pensé qu'avec la chaleur de ma main je pourrais réchauffer ta peau, dans ton cou, à la naissance de ta chevelure, mais j'ai reculé d'instinct. J'ai ensuite essayé, idiotement, de le faire avec mes yeux, de te réchauffer avec mes yeux, en imaginant des frissons de vie qui visaient ton cou. Je me sentais, me croyais public adorateur, voulais centupler cette force, voulais tant la centupler. Nous étions salle comble à rassembler notre amour pour viser ta nuque.

Alors le temps s'est entrouvert, fissure dans la croûte terrestre, et j'ai glissé au cœur de cette puissance qui fait qu'une fraction de seconde emplit une semaine.

Je me suis d'abord cramponné au premier tissu avant de comprendre que j'étais, parce que hors de la matière, hors de péril. J'ai lâché prise, me suis laissé aller, aspiré par l'explication.

Descente muette. La machine a cessé de suer et mes poumons se sont gorgés de lumière. Tu étais, dans le coin de mon œil, embellie d'un sens qui nous avait toujours échappé.

Cette région d'où viennent les poèmes et les mots, il était clair, lumineux, que nous y participions désormais.

Et, de ce point de vue, le film était fixe et sans fin. Seuls les écrans se succédaient, venaient se montrer, bougeaient un peu pour voir. Une fois vus, ils quittaient le champ discrètement. Si discrètement.

C'est là que je t'ai vue, bel écran, belle Anne, tu portais le tailleur que tu aimais tant et tu regardais ta montre, pour faire réelle.

Le projecteur faisait autour de toi des nimbes et des auréoles formés de petits éclairs qui ressemblaient aux orbites d'électrons qu'à six ans tu faisais jaillir de ton bâton de chrome sous le soleil. Tu es venue devant moi, tu m'as souri et tu as quitté le champ de lumière, à ma surprise, sans me donner de signe. Tu jouais la parfaite étrangère.

Les écrans venaient se montrer, bougeaient un peu pour voir. La pellicule se déroulait et ton récit personnel se moulait à ta forme comme un serpent patient au relief.

Tout mouvement de ma part se ferait désormais sans le compagnonnage des copies; les premiers jours harcèleraient mon attention. Que le spectacle pût avoir ce sens-là, je ne l'avais pas soupçonné.

Dans mon dos fuyait en lignes parfaites, un banc de couleurs brillantes où se défilaient en angle, des annonceurs propres et plans, presque comiques, cadrés aux épaules et qui regrettaient de ne pas pouvoir pousser l'information au-delà des titres, qui promettaient en revanche beaucoup plus de détails dans les versions dramatiques.

À droite, un terminal présentait successivement les pages d'un livre à une vitesse inhumaine, l'œil n'avait que le temps de reconnaître qu'il s'agissait d'un texte. Le boîtier ne résisterait pas à cette furie. Déjà le bruissement grandissant laissait entendre le choc des pièces craquant comme un crâne sous le pilon.

À gauche, la proue fendait la mer verte à coups de piqués profonds et de surgissements souverains. La vigie avait le mot «tierra» figé dans la gorge, prêt à bondir sur la première image.

Je n'avais qu'à faire un pas devant moi pour apaiser ces visions, quitter le rond-point de ces corridors hallucinés. Devant moi, il n'y avait pourtant rien d'autre que le sentiment d'avancer.

Il fallait maintenant que je touche le cœur de ce théâtre et il a fallu pour cela que j'arrive à parler. Parler de façon à ce que soit à l'œuvre, dans chaque parole, la somme de mon savoir depuis l'heure où j'ai commencé à apprendre les mots jusqu'au plus loin que je puisse diffuser ma voix.

Il a fallu que j'arrive à ce que chacun de mes mots soit porteur de mon histoire.

À ce moment-là, j'ai pu me tourner vers le feu d'où naissent mes ombres sur le mur, et l'approcher de front.

Je m'en approche jusqu'à ce que la chaleur soit tolérable aux doigts et que la posture permette l'illusion — la fascinante illusion — de pouvoir déchirer et cueillir un bout de flamme au vol.

Je garde la main à l'endroit infime et exact où la distance cesse totalement, où la proximité hésite à disparaître.

Enfin, tel un copiste le temps d'un tracé délicat, je dois oublier mon souffle.

C'est dans ce geste que réside le sens des ombres. Là où je te retrouve. Nos liens sont désormais scellés d'un secret. C'est adorable et doux.

Je le garderai toujours parce que je t'aime et parce qu'il y a là, aussi, la forte intuition qu'un jour je pourrai approcher ta nuque pour me réchauffer les mains.

Ma dernière nuit ici

Nuit locale. Mate et noircie comme le graphite lisse des poteries indiennes.

Les pieds sur l'ocre. Petite aurore vacillante du lampion. Sur le sol.

Mon œil se ferme, ne laisse passer qu'un filet de lumière qui se fragmente en cristaux dans une larme. L'eau fait une loupe déformante sur la cornée et les étincelles se multiplient, se fondent, se peuplent, s'unissent au pouls de mes tempes.

C'est fort et c'est si proche. Je ressens la puissance de l'impression. Avec ébahissement. Je sais bien des choses de la beauté mais ces assemblages d'éblouissements m'émeuvent. Aurais-je donc, toute ma vie, ignoré l'émotion? Cela aurait-il un sens...

Ces formes sont immédiates et sans objet. Cette image ne représente rien. Aucune distance ne la tamponne. Son pouvoir est total.

Et elle est fragile. Une pellicule sur l'œil. Une buée la déchirerait. C'est beau, et plus c'est beau, plus les larmes créent des angles étonnants. Alors l'image tremble et ruisselle, se mêle à la peau de ma face. Le corps transpire au cœur d'une abstraction.

Je m'affaisse en sanglots. Je reconnais ce geste. Ne comprends pas que tant de beauté soit insupportable. Ce n'est quand même que du feu.

Je rampe jusqu'au lit. J'avale l'air lentement jusqu'à ce que le Mexique revienne à moi. Jusqu'à ce que la chambre revienne. Rudimentaire et terreuse.

On dirait que le temps n'avance plus. Les heures sont longues. Pleines du frémissement des animaux. Pleines du frémissement des insectes. Je sens que je n'aurai plus jamais peur. Je voudrais tant dormir, maintenant.

6

Rendez-vous

Tout à l'heure, mon bien, en te parlant,
à ton visage, à tes gestes, je voyais
que les mots ne te persuadaient pas
car c'est mon cœur que tu désirais voir.
                    Sor JUANA INÉS DE LA CRUZ

Le sac de maïs est flou. Je n'ai qu'un sfumato d'ors laiteux dans l'œil. Je suis bien naïf d'avoir pensé que je pourrais me servir de cet appareil sans guide d'utilisation. Comme quoi l'intuition ne suffit pas toujours. Je ne vais tout de même pas demander à un touriste de me faire un gros plan du sachet de maïs en ne cadrant que les grains du dessus. L'autre possibilité, c'est d'acheter un sachet et de faire les photos dans ma chambre d'hôtel, où je pourrai les disposer à ma guise et prendre le temps qu'il faut. Je dois bien avoir quelques lires sur moi. J'éparpillerai, avec abandon, quelques grains sur le dos des pigeons; je garderai le reste pour mes «études» de monochromie. Je ferai mes «études» dans ma chambre. Rien ne sert de faire étalage de mes incompétences à toute la piazza.

Mon goût pour les surfaces monochromes remonte au temps d'une fixation que j'ai eue pour un store vénitien (tiens, tiens) bleu marine. Je croyais à l'époque qu'on pouvait, à force d'admiration et de contemplation, modifier la matière. Une idée invivable qui s'est dissipée. Il n'en subsiste aujourd'hui que le geste. L'habitude.

Madame Antonella, de l'agence de voyage, disait de Venise: «La ville est si belle que personne ne peut, même en se forçant, y rater une photo!» Cette phrase m'avait suffi pour élire Venise comme lieu de vacances. Madame Antonella faisait sûrement référence aux photographes professionnels. À moins que «rater une photo» n'ait été une allusion aux séances de photo disséminées dans chaque recoin de la ville.

Je réessaye le maïs une dernière fois. Le zoom fonce dans le brouillard et atterrit sur une image limpide où tranche nettement, au centre du viseur, un amas de pépites jaunes. Le jaune est criard comme une réclame. À quarante-cinq degrés, splendide depuis des siècles sûrement: le café Florian. Flou. Je cherche à tâtons l'anneau qui m'a permis de zoomer. Les habillements sont fins. Je soupçonne tous les Italiens de porter des vestons Armani, des montres Gucci, des enfants Fiorucci. J'ai l'âme aux préjugés favorables aujourd'hui. Je vois le soleil qui touche les vaguelettes du Grand Canal. Le portrait est scintillant et je me dis qu'à tous les jours c'est comme ça ici, à Venise: brillant, coloré, italien. Pourquoi en serait-il autrement?

Les pigeons se bousculent, serrés, laissent passer les enfants en se déplaçant au minimum. Comme de la houle de plume. Une dame élégante court et rattrape une fillette de deux ans: sa fille, sûrement. «Anna! Anna! vieni qua!» Les pigeons ont haussé d'un cran le ton de leur roucoulement. J'aime bien les pigeons. C'est récent.

La dernière fois que j'ai vu tant de Japonais, c'était il y a deux ans au Mexique. Ils ont toujours l'air si pressés. Un jour il faudra bien que j'en accroche un au passage pour lui parler de ça. Du temps et de ce qu'il en pense. Une belle Italienne appuyée contre la colonne d'une arcade, pose pour son ami. Elle a des lèvres fuchsia grasses. Je crois qu'on doit dire «des lèvres pulpeuses» dans ce cas. Le grand rouquin, juste là contre le mur du Campanile, je jurerais qu'il est cousu d'Armani de la tête aux pieds. Je zoome. Voilà. Mais qu'est-ce que je cherche? Une étiquette clairement griffée qui dépasse du col? Mon modèle ne bouge pas. C'est bien ça. Ne bouge pas, modèle. Je m'avance. Non, ne bouge pas. Reste comme ça. Ces cheveux roux exagèrent au soleil. On dirait de la fibre de verre. Vivement, la tête rousse se tourne vers moi et me regarde, ébahie, droit dans l'objectif. Il crie mon nom et court vers moi. Il me dit que j'ai beaucoup changé. Je lui demande ce qu'il a fait à ses cheveux. Il me dit que c'est sa couleur naturelle. Où ai-je pris l'idée qu'il était plus grand que moi? Il est exactement de ma taille. Son photographe lui crie: «Luc! On va manquer de soleil!» Il me raconte à toute allure qu'il est ici pour une série de publicités, qu'il ne reste que deux jours, qu'il faut absolument qu'on se voie, où ça, au Florian tiens, bonne idée, dans deux heures, d'accord. Il me tape l'épaule énergiquement et me quitte en courant.

Cette coïncidence me rend circonspect. Je rentre à l'hôtel Centauro sans regarder les gens que je croise. Je marche vite dans les passages si étroits de Venise. Je vais m'étendre une heure. Ma chambre donne sur un bout de canal qui rencontre la ruelle des Assassins. Venise n'a pas peur des mots. On dit que son peuple a été repoussé par les Barbares jusque *dans* l'Adriatique. Dépossédés de leur terre, les pieds baignant dans le non-lieu, les Vénitiens sont arrivés à édifier une république. Pourquoi Venise aurait-elle peur des mots?

☐

La dernière fois que j'ai vu Luc, c'était au souper chez Ali Blanchart. Les années ont beau défiler, il y en a comme Luc Perluzzo qui possèdent le don, la magie de reprendre les amitiés exactement là où elles sont restées, sans laisser paraître qu'elles ont peut-être échoué. Mais il fait ça avec tant d'aisance que je lui donne raison.

Je n'avais revu aucun de mes amis à mon retour d'Oaxaca. Je traînais mon corps en silence. J'étais rentré à Montréal dans la plus grande discrétion et, une fois réglées quelques «obligations» découlant de ce que mon entourage nommait à voix basse «le Mexique», je m'étais tapi dans un deux-pièces de la banlieue nord de la ville. Je passais les journées ouvrables à trier des bons de commande dans un entrepôt immense et neutre, et mes soirées à repasser dans ma tête ces quelques instants où j'avais cru entrevoir le versant caché du monde. Je n'avais comme guide et comme piste (et, qui sait? comme destination aussi) que la conscience et l'érudition de mon cerveau, là où logent des régions inexpliquées grosses comme le poing. Ou alors je dévorais des manuels de neurologie jusqu'à ce qu'ils quittent mes mains lasses aux petites heures de l'aube. Les saisons venaient donner un cadre et quelques références nouvelles à mes recherches. Je taisais ma peine comme une honte. Puis, un jour, c'était déjà fini. J'avais franchi le cap de mon ascèse sans le choc du terme.

Deux années de recherche qui n'ont amené que deux découvertes: qu'il y a des choses qui se «montrent» parce qu'elles ne peuvent advenir autrement et que ces choses-là, innommables, font de plates phrases. Des années de recherche qui se manifestent désormais lors d'une intuition, d'un à-propos, d'un bon mot. Des années de lecture qui rendent d'autant plus risible mon inaptitude à manier des objets aussi courants que cet appareil photo. Après tous ces mois de concentration, j'étais enfin prêt pour une vue sur la ville et des vacances peuplées.

☐

À l'heure entendue, je suis bien en vue à la terrasse du Florian. Je sirote un espresso dense et brûlant. Les garçons ici travaillent avec un «art» et une «façon de faire» qui semblent leur avoir été transmis par leurs ancêtres. Personnellement, je n'ai jamais eu ce sentiment. Je dois bien pourtant avoir des ancêtres. Je remonte mentalement ma filiation. C'est si loin derrière, tout ça. Les rires d'une table voisine me tirent de ma rêverie. Des rires qui sont survenus comme un ground opportun.

Les façades de la piazza s'enténèbrent lentement. L'horloge des Mori perd son éclat, ses couleurs. Ténèbres. Mori. On dit que les doges qui ont commandé cette horloge fabuleuse ont pris les grands moyens pour s'assurer l'exclusivité de la merveille. Une fois les travaux terminés, ils ont emprisonné l'architecte et son apprenti, puis ils leur ont mis des tisons ardents sur les yeux. Ou leur ont-ils coupé la langue? Quand Luc arrivera, je lui demanderai ce qu'il pense de cette histoire. J'épicerai le récit en lui disant que l'architecte s'appelait Gucci, d'où les montres...

La marchande de maïs-à-pigeon range son stand et sème une poignée de graines sur le troupeau. Elle lance une phrase que je ne comprends pas. Probablement quelque chose du genre: «La maison vous l'offre!» En tout cas, c'est le même air.

Je reçois un baiser hâtif et sonore sur la joue et, comme par magie, Luc Perluzzo s'affale dans une chaise devant moi. Il ôte son veston en se tortillant, en couvre son dossier. Il relève ses manches de chemise hardiment. On voit toutes ses dents. Il sourit avec compétence.

Il veut savoir ce que je deviens. En quelques phrases monotones, je lui trace le portrait d'une existence sobre de messager dans un immense building dont je feins d'oublier le nom. Il n'insiste pas. Je ne veux pas qu'il insiste.

Et lui, Luc Perluzzo, que fait-il avec ce photographe?

— Tu le connais?

— Vaguement.

— Je fais une série de publicités pour la Fidexco, me dit-il. J'ai accepté parce qu'il y avait Venise, Paris et Tokyo dans le contrat.

Je trouve ça extraordinaire pour lui. Je le lui dis. J'apprends qu'il travaille peu avec le photographe mais plutôt avec le réalisateur. Je ne veux pas ressortir l'histoire de ce photographe qui avait jadis été une des sombres histoires de mon passé. Rien ne sert de déterrer maintenant juillet 82. S'il ne voit pas ce que je veux dire c'est qu'il n'a jamais reçu la lettre. Cela veut dire qu'elle repose toujours dans un bureau de poste quelconque. Il paraît qu'il y a des lettres qui ont mis jusqu'à vingt-cinq ans pour se rendre à destination. Ne précipitons rien.

Je lui demande s'il voit encore Ali Blanchart. Il dit qu'ils ont fait une dramatique radio ensemble, c'est tout. Non, ils ne se voient plus. Ça s'est fait naturellement, sans que personne ne le décide.

Moi non plus, je ne l'ai pas revue. Je lui dis que c'était beaucoup plus l'amie d'Anne que la mienne.

Le nom d'Anne a visiblement troublé Luc. Il me demande comment je m'en suis sorti. Je devais bien m'attendre à ça. Je joue son jeu, lui demande:

— Sorti de quoi, Luc?

— Ben d'avoir...

Silence. La phrase s'est éteinte en cours. Je ne relance rien.

— ... perdu Anne, ose-t-il tout faiblement.

— Anne? Je n'ai pas «perdu» Anne! lui dis-je, choqué.

Il me demande ce qui s'est vraiment passé au Mexique. Il y a beaucoup de précautions dans sa phrase.

Je lui dis, pour le tester, qu'il y a au Mexique des régions où les fantômes circulent librement, avec tout le naturel du monde, des régions où «les choses qui ne se disent pas» sont des choses entendues depuis toujours.

Le visage de Luc reste impassible. Une impassibilité polie. Mais je vois tout de même son poing qui se referme et se serre. Le chair de poule gaufre son avant-bras, oh pas longtemps. Il ne passe pas le test.

À cet instant, j'ai le génie d'enchaîner sur les vestons Armani. Luc croit-il que ça va durer, ce vent Armani? Et Luc, peut-être heureux d'échapper de justesse à ce qu'il soupçonne être des «révélations troublantes», Luc s'emporte, me parle d'Armani, de la finition des coutures à la finesse du pli.

J'aime bien cet acteur. Je trouve toujours sa compagnie agréable. Parce que sa présence est professionnelle. Il me montre les gestes à faire pour être là avec grâce. Luc, un modèle pour des drames de salon de thé qui progressent en demi-teintes, à demi-mot. Je sais depuis le début qu'on doit éviter un sujet avec lui. Ce n'est pas une censure. Ce n'est pas un tabou. C'est une attente affable envers l'animal effarouché qui tremble devant une question et ne veut pas suivre. Luc n'a pas besoin de mystère ce soir. Il a besoin qu'on le flatte, qu'on l'emmitoufle de flanelles parisiennes, qu'on le rassure en le berçant, qu'on lui raconte l'histoire du petit Armani qui dessinait des vestons en cachette pendant ses cours de maths. Avec Luc, je peux parler de théâtre, peut-être même de drames privés à condition que je ne tente jamais d'effleurer le cœur des phrases. Ce serait jouer avec le feu.

Nous parlerons d'élégance, de vie quotidienne et de techniques pour la traverser. Nous parlerons d'indifférence, de lassitude physique, de jeu, de vieillissement et d'élégance encore, nous parlerons mais il s'épuisera le premier et, un jour, j'attendrai qu'il me le demande, et je lui raconterai, je ne sais encore comment, *une histoire vraie*.

7

La somme des fatalités

nous verrons avec notre corps tout entier
Jorge Luis BORGES

Je sais ce qui m'attend. Je monte les marches pesamment. Je tiens un bouquet d'iris comme une poupée dans mes bras. Il y a beaucoup de musique forte chez Ali. Beaucoup de monde aussi. Ali a trente ans ce soir.

J'ouvre la porte sans sonner. L'hôtesse est là. Elle crie et se rue sur moi, écrasant les fleurs dans le geste. Ali aime accueillir son monde avec exubérance. Elle m'embrasse goulûment, me beurrant la bouche et le visage de son rouge à lèvres puis éclate de rire devant ses barbouillages. Elle essuie une larme en me disant qu'elle est tellement heureuse, tellement contente que je sois venu. Elle ajoute, sur un ton de devinette: «Il y a quelqu'un ici que tu n'as pas vu depuis longtemps et qui a pas mal hâte de te voir!» Elle retient mon bras et, sur la pointe des pieds, cherche ce quelqu'un du regard. Ne trouvant pas, elle me dit: «Va te chercher une bière dans le frigidaire» en pointant la cuisine et elle part dans la direction opposée avec la gerbe d'iris. Elle lance quelques vocalises qui montent au-dessus de la musique.

J'essaie de me souvenir de la dernière fois que j'ai dansé. Où étais-je? Dans quel état? La pièce est bondée de comédiens et d'actrices. C'est incirculable, mais je fonce.

Les mouvements que je fais sont tournés vers l'intérieur. Comme de petites implosions. Il est difficile de faire autrement sur la piste. Je penche la tête et m'amuse à suivre les cadences diverses des souliers qui s'accordent aux basses. Je reconnais les jambes qui sont devant moi. Ces genoux sont ceux d'Anne.

— Bonsoir Anne, lui dis-je calmement.

— Bonsoir, me rend-elle.

Ses lèvres se serrent et un coup de rire lui souffle du nez. Ses yeux sont rieurs. Ses yeux ont toujours été rieurs, et cette camisole noire et ample qu'elle porte lui donne un petit genre que je ne lui connaissais pas.

Je lui demande comment va sa santé. Elle fait signe que tout va bien. Et le souffle? Les poumons ont l'air de bien aller. Je ne comprends pas pourquoi je me comporte comme si j'avais commis une faute et qu'il me fallait demander pardon; j'ai la tête basse et le ton incertain, timide. Il ne manque que ma tante Claire pour me relever le menton et me dire: «Parle plus fort mon chéri, on t'entend pas.» Je dis à Anne que je suis content de la revoir, qu'elle a l'air en forme. Elle ne dit rien, se mord la lèvre pour retenir un sourire, une réponse. Je lui bafouille que Luc m'a dit qu'il l'avait vue le mois dernier et qu'il paraît qu'elle a passé un an en Europe pour faire une maîtrise en éthique.

— Esthétique, corrige-t-elle, en fermant les yeux pour ne pas rire.

Un danseur gauche me bouscule sans s'excuser et je me retrouve, accidentellement, dans les bras d'Anne. Je peux sentir le parfum de son cou. Fond fleuri, touche boisée. Adolescent, je lui avais volé un démonstrateur de Ma Griffe. C'est son cou qui me le rappelle. Anne a de petites rides près des yeux. C'est nouveau. Des petits fils fins qui forment de beaux angles tristes et étalent l'éclat des yeux, la font ressembler aux sages qui ont longtemps médité sur le Tout et éprouvé dans leur cœur l'ensemble de ce qu'il nous est possible de savoir sur le monde et ses mystères. Ils ont l'œil brillant comme de la vitre, elles ont la peau lisse comme la cire des fruits et il y a une paix si grande et si impressionnante sur leur visage qu'en regardant vite, sans s'y attarder, on pourrait croire que ce poids de la connaissance infinie ressemble, je dis bien «ressemble» à de la fatigue.

— Viens avec moi sur le balcon, lui dis-je dans l'oreille.

À la façon dont je pose ma main dans son dos, on pourrait croire que je la pousse, mais, en fait, c'est un mouvement qui me guide. Ma main n'appuie pas dans son dos. Ce geste, il me revient. Il ressemble à un des derniers efforts que j'ai faits pour la rejoindre il y a deux ans. J'avais avancé ma main vers elle pour la faire se retourner, mais elle avait esquivé le geste d'un coup d'épaule. «Lâche-moi!», avait-elle crié dans l'aéroport d'Oaxaca. Sur ce cri, elle avait lancé ses valises comme une boule de quille à l'autre bout de la salle d'attente. Et elle avait rejoint ses bagages. Pour s'isoler avec ostentation, ignorant royalement les prescriptions de calme absolu que lui avait ordonnées de suivre le médico oaxaquénan. Depuis son «coma», elle était fermement décidée premièrement à refaire sa vie sur-le-champ et, deuxièmement, à n'en surtout pas discuter avec moi. Son nouveau projet ne m'incluait pas.

L'avion avait quelques heures de retard, qui nous ont semblé des jours, et je ne peux jamais évoquer ce trajet de retour sans me souvenir également des maux de tête épouvantables qui me plissaient le front à toutes les minutes. Je voulais lui parler de mes visions et lui prouver, lui démontrer — je ne savais par quelle astuce d'argumentation — qu'elles découlaient vraiment de mon horreur à l'idée de l'avoir perdue. Un chavirement. Rien de moins qu'un chavirement total. Mais il y avait dans mes visions trop de choses que je ne pourrais jamais transmettre, je le découvrais en cherchant mes mots. Il n'y avait que l'émotion qui faisait un peu sens. C'était la seule chose que je pouvais pointer du doigt en disant: «Ça je connais; le reste non.» Et de quoi avais-je l'air quand, à travers ma douleur lancinante, je faisais part de mon émotion? J'avais l'air d'un être troublé par des circonstances tout autres. Et je donnais à Anne, plus que jamais, le goût de continuer son chemin avec quelqu'un de plus articulé, ce qui, à l'aéroport de Oaxaca, ce jour-là, aurait pu tout aussi bien signifier le premier venu.

Arrivée sur le balcon, bien à l'écart de la fête, Anne se retourne et me demande mi-arrogante, mi-défiante: «Tu veux me parler?»

Qu'est-ce que je pourrais bien lui demander? Quelle question pourrait me servir de test pour voir où elle en est, comment elle s'en tire. Je pourrais lui balancer «Le monde a-t-il un sens?» comme un petit coup de marteau sous le genou, et voir ce qui bouge en premier chez elle.

— Tu te souviens de la fameuse lettre au sujet de l'été 82?

— Qu'est-ce qui en est advenu? demande-t-elle, polie.

— À ma connaissance, l'objet n'est toujours pas arrivé à destination. Elle est peut-être collée dans le fond d'une poche, dans un bureau de tri...

— J'veux pas parler de ça, m'interrompt-elle, ennuyée.

À bord du vol de retour d'Oaxaca, Anne avait fini par accepter de jeter un coup d'œil sur mon journal où était inscrite une approximation un peu mystique de ce qui s'était révélé à moi sous cette foudre d'émotion. C'était souvent du poème mais je n'avais rien d'autre qui s'approchait autant du réel. Et j'espérais qu'elle pourrait y trouver un élément ou deux pour saisir mon état. Elle m'avait rebalancé les cahiers bêtement, avec comme unique commentaire: «J'aime pas ça, on dirait que je meurs à la fin.» C'est à cet instant que j'ai décidé d'abandonner. Je ne voulais plus convaincre personne de quoi que ce soit.

Anne me tend une bouteille de bière et me demande, dans la lancée du geste, à brûle-pourpoint:

— À quoi tu penses?

— Il n'y a pas si longtemps, lui dis-je lentement, très lentement, à force de lire de gros livres savants qui s'avouaient ignorants des mystères, je pensais qu'à la base de toute action, de tout geste, de toute phrase, il y avait un *mouvement de l'être*, une sorte de pulsion première au-delà de tout ce qui est perceptible, au-delà même du sens. Je croyais que l'émotion authentique était celle qui résistait au dépouillement de tous ses signes. Comme un examen pour mieux voir le fond de la chose. Imagine que tu ôtes tous les signes de la peur et qu'il reste encore la peur... Qu'est-ce que tu ferais si ça t'arrivait?

— Est-ce qu'une émotion peut exister comme ça, sans support?

— Oui, c'est assez terrifiant quand ça se passe. C'est terrifiant parce que ça rend ridicules tous nos efforts pour être justes et articulés. Parce que ça veut dire des choses comme... «On peut aimer sans avoir à le dire, à le faire ou à le montrer.» Ça peut mener vicieusement au silence complet. On peut rester comme ça pendant une vie à trouver que tout est évident et qu'il n'y a rien à redire sur rien.

Anne rit un peu et se couvre la bouche en guise d'excuse. Elle avoue:

— J'voulais changer de sujet et tout ce que j'ai trouvé à amener, c'est le store bleu — tu te souviens du store vénitien? Je ris parce que c'est pas un autre sujet, c'est le même! En tout cas, ça ressemble... Qu'est-ce qu'on peut faire devant ça? reprend-elle après un silence.

— La question est ouverte, lui dis-je.

Nos voix sont feutrées. Anne, plus que jamais, semble chercher un autre sujet. Je regarde les petits signes de son impatience et je me demande de quoi elle peut bien avoir peur.

Je veux qu'elle me dise où elle en est dans sa vie. Que devient-elle depuis Paris? J'ai su par Luc qu'elle vivait seule rue Boyer, mais encore? Elle me dit qu'elle s'est acheté une voiture la semaine dernière et qu'elle ne parle que de ça depuis ce temps-là. Un jour, promet-elle, nous irons à la campagne, un dimanche.

Et qu'est-ce que cette histoire de boutique qu'Ali m'a racontée au téléphone? Anne explique qu'elle a des parts dans une boutique d'objets de luxe. C'est là qu'elle travaille tous les jours. Que considère-t-elle comme un objet de luxe?

— Des ciseaux à raisin vingt-quatre carats, répond-elle immédiatement.

Et elle récite une énumération assez drôle du stock que tient son commerce. Je suis plutôt rassuré qu'elle le fasse en riant. Je l'écoute, à l'affût du moment propice où je pourrai lui demander si elle croit que le monde a un sens. Pour voir comment elle réagira à ça. Répondra-t-elle sérieusement, exposera-t-elle une vision du monde commençant par «Ça dépend...» et s'articulant sur des «quoique...» ou sera-t-elle lapidaire et assurée, quel membre bougera-t-elle en parlant, à quoi me fera penser le mouvement de ses yeux, quel souvenir me rappelleront ses expressions, haussera-t-elle les épaules, esquivera-t-elle la question? Tout est possible. Tout est signifiant quand on est à ce point disposé à connaître. Je suis peut-être trop exigeant. J'attends trop de cet instant où elle se révèlera. C'est pour ça que je ne cesse de le reporter.

> *les effets du réel*
> *ils sont immenses et partout*
> *à nous regagner nous étourdir*
> *et de cette façon tout m'incite à écrire*
> Claude BEAUSOLEIL

Anne et moi tournons la tête simultanément en direction de la personne qui vient de crier «Luc!». Je demande à Anne si elle savait que le roux était la vraie couleur de Luc. Elle dit oui, que ça a toujours paru à son teint.

— L'as-tu revu depuis Venise? me demande-t-elle.

— Non, on s'est parlé souvent au téléphone, toujours pour se dire qu'il faudrait bien se voir pour dîner ensemble, mais ça n'a jamais rien donné.

— Il est gentil, dit Anne d'un ton neutre.

— Oui, oui, c'est vrai.

— T'as aimé Venise? me demande-t-elle tout à coup, aimable.

— Beaucoup. C'est très beau. Faudra qu'on y aille ensemble, lui dis-je.

Anne se souvient-elle? Luc lui a-t-il dit? À l'aéroport Marco Polo, en descendant du vaporetto, il m'avait dit qu'il comptait séjourner chez Anne à Paris avant de regagner Montréal. Avais-je un message? Non. «Dis-lui seulement que tu m'as vu, que tu m'as demandé si j'avais un message pour elle et que j'ai dit non.» J'avais répondu cette complexité — tout à fait dans mon genre — sachant qu'Anne l'apprécierait. Elle n'en parle pas. Elle y pense peut-être sans rien dire.

Luc s'amène au bras d'Ali, qui triomphe dans son bonheur de nous voir à nouveau réunis tous les quatre, petit îlot de dissidents sur le balcon. Embrassades. Sourires tirés. On se regarde. On se touche. On se tient bras dessus, bras dessous et, dans un synchronisme extraordinaire, on cherche tous quelque chose à dire et rien ne vient. Le malaise est immense. Silence. Ali toussote et on se tourne vivement vers elle, espérant qu'il y ait là une intention de phrase. Mais non. Anne cherche un mot, fait des gestes de rien avec les mains pour meubler l'attente. Luc cherche une histoire à raconter, hésite. Je ne vois pas ce qui pourrait se dire vraiment. Il me semble que les sourires tendus et les accolades d'il y a une seconde ont tout dit. Ali brise la tension avec: «Hey, ça fait longtemps…»

LUC:

Ah oui, hey…

ANNE:

Au moins deux ans…

MOI:

Au moins…

Les embrassades se défont tout aussi maladroitement. Ali demande si tout le monde a un verre. Nous profitons tous de cette civilité pour dissoudre le groupe.

Anne est seule avec moi sur le balcon. Elle se tourne vers la rue et laisse s'échapper un «ouf!» soulageant. Je lui demande: «Qu'est-ce qui s'est passé?»

Elle me dit qu'il ne faut jamais avoir peur de constater que les choses finissent. Elle sourit parce qu'en disant cela elle a sûrement senti que nous pensions à la même chose, que nous avions brièvement vu Oaxaca repasser devant nous. Je constate:

— On s'entend bien, nous deux.

— On s'est toujours bien entendu, dit Anne.

— Qu'est-ce qu'on peut encore faire de ça?

Elle se penche sur la balustrade du balcon et, clairement pour éviter la question, elle pointe le nord et dit: «Regarde. D'ici on voit mon auto.»

> *Je pensai que l'univers était une*
> *conversation entre des êtres immenses…*
> *Quel pouvait être le mot dont je n'étais*
> *qu'une syllabe? Qui le disait à qui?*
> Octavio PAZ

La musique brésilienne s'arrête et Ali demande l'attention des invités, elle va chanter «la chanson des chansons». Aussitôt elle entame, guitare en main: «J'ai… *(pause)* un… *(pause)* a... *(pause)* mour qui ne veut pas mourir, et c'est ma raison d'aimer la vie.» Les gens rient puis tapent des mains, scandent la ballade western avec ironie ou avec cœur, on vient qu'on ne sait plus. Je me penche contre Anne.

— Quelle tristesse, lui dis-je.

Elle me regarde sans comprendre. Je précise:

— Dans la voix, il y a une tristesse dans sa voix.

— Ah, dit-elle, c'est le chiffre trente qui fait ça.

— Penses-tu?

— C'est vrai qu'on s'entend bien, me glisse-t-elle à l'oreille.

> *De ce nœud la forme universelle,*
> *je crois que je l'ai vue, car en disant cela*
> *je sens que plus large est ma joie.*
> DANTE

Les applaudissements sont généreux et exagérés. Ali remercie son auditoire, étire son salut avec des courbettes et des génuflexions. Anne me traîne dans un coin pour parler. Elle me regarde dans les yeux et me demande: «D'après toi, est-ce que le monde a un sens?» Sa question me désempare totalement. Je fige, éberlué. Comment cela est-il possible? J'hésite.

— Comprends-tu ce que je veux dire? me demande-t-elle.

— Oui, lui dis-je simplement.

Je prends une seconde pour y penser et je lui réponds:

— Ça dépend... j'ai souvent lu que non, mais ça ne veut rien dire.

Et en disant cela je me demande si Anne ne me fait pas passer en ce moment le test que je lui prépare moi-même depuis une heure. J'espère que ce n'est pas le cas car je crois bien faire piètre figure. J'ai eu l'air désemparé. Je suis resté bouche bée. Tiens, qu'est-ce que cela veut dire?

Luc arrive énergiquement, se place entre nous et dit:

— Hé, il faudrait bien qu'on soupe ensemble une bonne fois.

— Ben oui, lui dis-je, téléphone-moi.

— It's a deal! tonne-t-il.

— On pourra parler...

— Pas de problèmes, dit-il, ouvert.

Profitant d'un creux du dialogue, Anne fait tinter son trousseau de clefs et annonce: «Bon, je m'en vais.» Elle se retourne en chemin et me demande, franchement perplexe: «Tu me laisses partir comme ça?» Je lui dis: «On va se revoir, non? T'as toujours dit que l'Amérique était un village.» Anne sourit, rassurée et quitte avec Luc à qui elle a promis un tour de char avant de rentrer.

> *Le monde entier n'est-il pas fou*
> *qui précipite ma propre*
> *émotion en plaisir d'écrire?*
> James SACRÉ

Ali et moi demeurons sur le balcon à l'écart des derniers fêtards qui traînent dans le salon. L'heure est avancée. Ali pleure contre moi, se mouche presque sur mon chandail. Elle me demande, pour la troisième fois: «T'es sûr que j'te dérange pas?» Et, pour la troisième fois, je lui réponds: «Ben non» en lui flattant les cheveux.

— Dans le fond, me dit-elle, on se connaît pas tellement.

— C'est vrai.

— Pourquoi je réagis comme ça? c'est juste un chiffre, trente, un chiffre rond, ajoute-t-elle, en riant, en pleurant.

Tout à coup, elle me regarde et presque avec défi, me demande: «Dis-moi quelque chose qui va faire que j'me découragerai plus jamais.» Elle me dit qu'elle ne veut plus jamais qu'on la reprenne dans cet état-là. «Dis-moi n'importe quoi, poursuit-elle, ça peut être du pep-talk, ça peut être jovialiste, j'vas l'prendre pareil. Parle.»

— O.K. J'vais te dire deux choses.

J'ai embrassé son front puis j'ai levé la tête vers le ciel pâle de Montréal en fermant les yeux pour mieux penser. Puis j'ai respiré profondément en pensant à Anne serveuse qui roule des trente sous et Anne amoureuse qui reste couchée jusqu'à des heures indues, à Luc me parlant d'Armani, de ce qui est «in» et de ce qui est «out», à Luc me parlant de ses progrès face à la responsabilité de l'acteur, à Luc jouant n'importe quoi avec une aisance remarquable et à qui j'ai promis des histoires vraies, à Ali expliquant à une tablée de première ce qu'elle entend — personnellement — par «distancillation», à Ali demandant l'attention des gens avant de chanter un classique western, à Prisca qui manipule des pièces brillantes, à Anne amusée qui retouche allègrement ma correspondance, à Anne décidée qui roule des épaulettes devant le miroir pour que la veste du tailleur tombe bien. J'ai respiré en pensant à moi qui pleure près d'Anne presque morte, à moi qui viens de découvrir qu'il y a *derrière les choses plus que les choses* et qui reste des heures à contempler, en toute stupeur, un ustensile quelconque, à moi en banlieue tenant un journal imposant et exhaustif où jamais le réel sensible n'intervient; j'ai descendu le regard sur la ville feuillue, sur les lampadaires modernes et sur l'asphalte fraîchement coulé, et alors j'ai parlé à Ali de ce qu'était la ville. Et j'ai ouvert une parenthèse pour préciser que le mot *ville* — comme on dit pays ou continent — signifiait territoire et j'ai parlé du fait que dire ville ainsi, était un raccourci, puis j'ai parlé un peu des raccourcis de ce genre, des économies comme ça que permet un imaginaire fort. Et de notre langue et de la façon d'accéder au mystère des choses. Il faut de l'attention, une attention féroce. L'attention acharnée qui fait éclater les surfaces, qui fait suer les acteurs pour le vrai. À force d'attention et à force de demander aux choses de se révéler, on voit des merveilles. On voit que la ville tire sa prestance et son sens de ses réparations multiples et interminables et on voit que notre langue maternelle est une chose curieusement pourvue. D'acteurs et d'actrices. D'images et de littératures. Cela fait parfois des phrases encombrées de fiction. Mais notre langue est forte de son identité. Très forte. Comme une idée de génie qui traîne son corps devant le grand monde.

TABLE

éditions LES HERBES ROUGES

COLLECTION DE POCHE TYPO